D1285726

Le Monde de A à Z

l'encyclopédie des Sciences

FRANCE LOISIRS
123, boulevard de Grenelle, Paris

Rédaction : Chris Oxlade, Anita Ganeri

Conseillers : John et Sue Becklake, Tom Schiele

Adaptation française et réalisation :
Télémaque International
en collaboration avec Beatriz Job pour la traduction
et Véronique Duthille

Conseiller de l'édition française :
Jean-Pierre Hatchondo

Édition française : © Éditions Nathan/HER 2000

Édition du Club France Loisirs, Paris
avec l'autorisation des Éditions Nathan
N° d'éditeur : 32458
ISBN : 2.7441.3296.9
Dépôt légal : Février 2000

Imprimé à Singapour

Ton livre

Ton *encyclopédie des sciences* te dit tout sur le monde qui t'entoure. Elle t'explique le comment et le pourquoi de nombreuses choses. Des illustrations vont t'aider à comprendre. Il y a aussi beaucoup d'expériences à faire toi-même. Ce livre va te permettre de découvrir la science et de voir comment on devient scientifique.

◁ Chaque image présentée est accompagnée d'informations précises. Des flèches t'indiquent quel texte correspond à quelle image.

▷ On te présente chaque expérience étape par étape.

1 **2** **3**

viseur
(pour regarder)

déclencheur

◁ Des images te montrent les différentes parties des choses, comme pour cet appareil photo.

Infos
• Ces cadres t'apportent des informations supplémentaires.

pellicule

objectif

obturateur

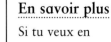

En savoir plus
Si tu veux en savoir plus sur un sujet, cet encadré t'indique les chapitres que tu peux consulter.

◁ Ce petit personnage t'invite à tourner la page.

Ce symbole veut dire **ATTENTION ! DANGER !**

Sommaire

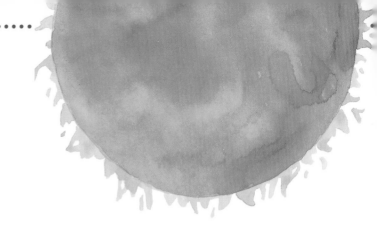

Acides

Les acides sont des composés chimiques. De nombreux fruits contiennent des acides faibles, tout comme le vinaigre et le jus de citron, qui donnent aux plats un goût acide. D'autres acides sont assez puissants pour ronger la matière. Ils sont dangereux car ils brûlent, mais ils peuvent être utiles. Par exemple, certains servent à fabriquer du plastique. Dans ton estomac, des acides te permettent de digérer ce que tu manges.

△ **1** Pour savoir si quelque chose est acide, demande à un adulte de faire bouillir du chou rouge. Laisse refroidir le liquide et verse-le dans deux verres propres.

▷ Le citron contient de l'acide citrique, ce qui lui donne ce goût très piquant.

 L'acide fort est dangereux. Il peut brûler.

△ **2** Pour tester une substance, mélange-la avec ce liquide. Si elle est acide, le liquide devient rouge. Qu'observes-tu avec le jus d'un citron ? Essaie ensuite avec de la levure, qui est une base, c'est-à-dire le contraire d'un acide. Les substances basiques rendent verte l'eau de cuisson du chou rouge.

◁ Ces arbres ont été brûlés par les pluies acides. Ces pluies se forment quand la pollution des usines se mélange aux gouttes d'eau dans les nuages. Cela produit un acide faible qui abîme les plantes, les roches et les immeubles.

En savoir plus

Air et atmosphère

Carburants

Chimie et produits chimiques

Air et atmosphère

L'air ne se voit pas, mais on peut le sentir lorsque le vent souffle. Il est fait d'un mélange de différents gaz. Les deux plus importants sont l'azote et l'oxygène. La couche d'air qui entoure la Terre s'appelle l'atmosphère.

thermosphère

mésosphère

pluie de météores

stratosphère

troposphère

△ Plus on s'éloigne de la Terre, plus l'air se fait rare dans l'atmosphère. Chaque couche de l'atmosphère porte un nom.

▽ Quand on respire, l'air pénètre dans notre corps. Celui-ci a besoin de l'oxygène de l'air pour vivre. On rejette ensuite du dioxyde de carbone, déchet de notre organisme. Les plantes se nourrissent de dioxyde de carbone et rejettent de l'oxygène.

△▷ Vérifie toi-même que l'air a un poids. Tu as besoin des objets ci-dessus. Fixe un ballon à chaque bout de la tige. Pose le crayon à cheval sur les boîtes et place la tige en équilibre dessus. Marque le point de la tige qui touche le crayon. Ensuite, gonfle l'un des ballons et remets tout en place. La tige doit toucher le crayon au même endroit. Sais-tu pourquoi elle ne tient plus en équilibre ?

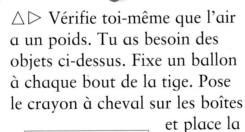

Infos

• La couche d'ozone de l'atmosphère protège les êtres vivants des rayons nocifs du Soleil.

• L'air contenu dans une chambre pèse à peu près ton poids.

En savoir plus

Êtres vivants
Gaz
Temps
Terre

Atomes

Tout ce qui existe est composé d'atomes. Les atomes sont si petits qu'on ne peut pas les voir à l'œil nu. Certaines matières n'en contiennent qu'une seule sorte, comme l'or, qui ne contient que des atomes d'or, ou le fer, qui ne contient que des atomes de fer. Mais la plupart sont composées d'atomes différents, réunis dans des groupes appelés molécules.

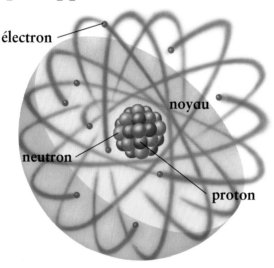

électron
noyau
neutron
proton

Infos
• Il y a 100 millions d'atomes dans un grain de poussière.
• On connaît plus de 100 types d'atomes.

△ Il est très difficile de casser le noyau d'un atome. Quand le noyau est fractionné, il dégage une énorme quantité d'énergie, capable de provoquer une explosion nucléaire.

◁ Le noyau, partie centrale de l'atome, est composé de particules appelées protons et neutrons. Les particules appelées électrons se déplacent autour du noyau.

En savoir plus
Chimie et produits chimiques
Énergie nucléaire
Gaz
Liquides
Solides

△ Ces enfants jouent le rôle d'une molécule d'oxygène, faite de deux atomes d'oxygène réunis.

△ Une molécule d'eau est composée d'un atome d'oxygène et de deux atomes d'hydrogène.

Batteries et piles

Une pile est une source d'électricité. Elle fonctionne grâce aux produits chimiques qu'elle contient. Allumer une lampe de poche revient à envoyer de l'électricité à travers un circuit qui part de l'une des deux extrémités de la pile, traverse une ampoule, et retourne à l'autre extrémité de la pile. Au bout d'un certain temps, les produits chimiques s'usent et ne génèrent plus d'électricité : les piles sont à plat.

△ Tous ces appareils marchent avec des piles. Celles-ci sont assez petites pour que les appareils restent légers et faciles à transporter.

▽ Cette batterie est rechargeable. Quand elle est à plat, on peut régénérer les produits chimiques en y envoyant de l'électricité. Les voitures ont une batterie pour faire démarrer leur moteur.

pâte chimique

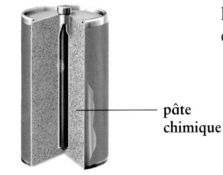

△ Ce type de pile s'utilise dans une lampe de poche ou une radio. On l'appelle pile sèche car les produits qu'elle contient se présentent sous forme de pâte sèche.

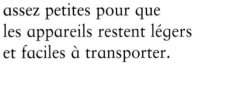

Ne joue pas avec les piles et n'essaie jamais de les ouvrir. C'est dangereux.

▷ Cette voiture a un moteur électrique et non un moteur à essence. L'électricité provient de batteries rechargeables qui sont à l'intérieur.

En savoir plus

Chimie et produits chimiques
Électricité

Biologie

Comment fonctionne notre organisme ?
Pourquoi les feuilles sont-elles vertes ?
La biologie est l'étude des êtres vivants.
Elle répond à ces questions et nous apprend
tout sur la vie des animaux et des plantes.
Les médecins se servent des résultats
des biologistes pour mieux comprendre
les maladies et l'effet des médicaments.

une tige,
grossie
huit fois.

△ Les chercheurs
utilisent un microscope
pour regarder ce qui est petit,
comme les cellules dans les
tiges des plantes. Observe
un poil d'animal ou une feuille
d'arbre au microscope.

△ Les biologistes
travaillent souvent
dans des laboratoires.
Cette femme étudie des
jeunes pousses cultivées
dans un but scientifique.

▽ La plupart des
biologistes n'étudient
qu'une seule espèce vivante.
Certains s'occupent
surtout des plantes,
d'autres des animaux.
Ils doivent parfois faire
des voyages au bout
du monde, comme dans
cette forêt tropicale, pour
observer les êtres vivants
qui s'y trouvent.

En savoir plus

Corps humain
Êtres vivants
Expériences
Médecine
Z (pour Zoologie)

Calculatrice

Une calculatrice est un appareil qui additionne, soustrait, multiplie et divise. Les calculatrices électroniques que nous utilisons nous aident à effectuer des calculs rapidement et sans faire d'erreur.

▽ Cette calculatrice s'appelle un abaque. Chaque boule représente un nombre. On calcule en faisant glisser les boules sur les tiges. Ce type de boulier est utilisé à travers le monde depuis plus de 5 000 ans.

▽ L'écran d'une calculatrice montre les étapes d'un calcul à mesure qu'on l'effectue. À la fin des opérations, la solution apparaît.

Calculatrice

écran

clavier

circuits électroniques

pile

◁ On presse les touches du clavier pour effectuer des opérations.

◁ Cette calculatrice fonctionne grâce à une petite pile qui lui fournit l'électricité nécessaire.

◁ Chaque calculatrice contient une puce électronique composée de circuits électriques très compliqués. Quand l'électricité les alimente, ils font les calculs.

En savoir plus

Batteries et piles
Électricité
Mathématiques
Nombres
Ordinateurs

Carburants

Les carburants sont des sources d'énergie. On en a besoin pour le chauffage, la cuisine, l'éclairage, les machines. Les carburants dégagent de l'énergie en brûlant. On peut les trouver sous terre, comme le pétrole ou le gaz. La nourriture aussi est un carburant, qui fournit l'énergie nécessaire à la vie.

△ Les aliments sont le carburant de ton corps. Ils te donnent de l'énergie pour bouger, et même pour penser.

◁ Les moteurs des voitures, en brûlant leur carburant, libèrent des gaz qui se répandent dans l'air que nous respirons. Ces gaz sont nocifs pour tous les êtres vivants. C'est ce qu'on appelle la pollution. Les voitures modernes ont un dispositif qui réduit la quantité de gaz toxiques qu'elles dégagent.

▷ Les centrales fournissent l'électricité de nos maisons, bureaux et usines. Elles exploitent l'énergie nucléaire ou des carburants naturels (pétrole, gaz ou charbon). Cette centrale brûle des centaines de tonnes de charbon par jour. L'énergie obtenue est d'abord transformée en énergie mécanique, puis en énergie électrique.

◁ On doit souvent aller chercher le pétrole sous le fond de la mer. Pour le ramener à la surface, on perce un trou très profond, puis on le fait remonter par un long tuyau, à l'aide de pompes. Il sert à fabriquer de l'essence, du diesel et d'autres carburants.

En savoir plus

Électricité
Énergie
Énergie nucléaire
Êtres vivants
Machines
Matériaux
Terre

Chimie et produits chimiques

La chimie est la science qui étudie la composition de la matière. Elle nous permet de savoir de quoi les choses sont faites. Les produits chimiques sont les solides, les liquides et les gaz que les chimistes utilisent ou élaborent. Certains servent à cuisiner, d'autres à nettoyer. Dans les usines, on en fait du plastique ou de la peinture. Les agriculteurs les emploient comme engrais ou désherbants.

atome de carbone

atome d'hydrogène

△ Comme toutes les choses, les produits chimiques sont formés d'atomes, réunis dans des groupes appelés molécules. L'image montre une molécule de polyéthylène, faite d'atomes de carbone et d'hydrogène.

▷ Certains produits chimiques semblent disparaître quand on les met dans l'eau. En fait, ils se dissolvent. Qu'en est-il du sel, du sucre et de la farine ?

sucre

sel

farine

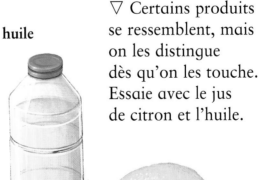

sucre

sel

△ Le sucre et le sel sont des produits chimiques de même apparence. Tu ne sens la différence que si tu les goûtes.

huile

▽ Certains produits se ressemblent, mais on les distingue dès qu'on les touche. Essaie avec le jus de citron et l'huile.

Ne touche à aucun produit chimique sans l'accord d'un adulte. Certains brûlent, d'autres sont des poisons.

jus de citron

▽ La rouille se forme quand le fer est au contact de l'oxygène de l'air. Quand des substances chimiques s'associent pour en former de nouvelles, il se produit une réaction chimique.

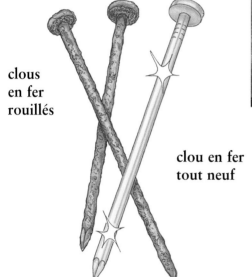

clous en fer rouillés

clou en fer tout neuf

△ Il y a très longtemps, des gens qu'on appelait alchimistes essayaient de fabriquer de l'or à partir d'autres métaux. C'était impossible, mais leurs travaux leur ont permis d'apprendre comment certains produits chimiques pouvaient se combiner entre eux. Ce sont les premiers chimistes de l'Histoire.

▷ Une tranche de pomme de terre et une tranche de pomme se ressemblent, mais leur odeur les distingue.

caillou

pomme de terre

caillou en polystyrène

pomme

Infos

• Un produit chimique peut se présenter sous des formes distinctes. Le graphite de la mine de crayon et le diamant sont deux formes du carbone.

△ Le poids aussi différencie les produits chimiques. Un morceau de polystyrène est beaucoup plus léger qu'un caillou de même taille.

En savoir plus

Acides
Atomes
Carburants
Gaz
Liquides
Solides

Corps humain

Ton corps est une machine complexe. À l'intérieur et à l'extérieur, il est fait de différents organes. Combien en connais-tu ? Chacun a une fonction. Par exemple, tu penses avec ton cerveau, tu mâches avec tes dents et tu vois avec tes yeux. Tous tes organes fonctionnent ensemble pour te maintenir en vie.

▽ À l'intérieur de ton corps, il y a un squelette composé d'os, qui te soutiennent et protègent tous tes organes.

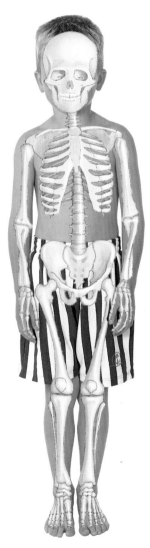

▷ Chaque partie de ton corps est formée de millions de petites cellules. Voilà à quoi ressemble une cellule musculaire vue au microscope.

cellule musculaire

neurone

△ Les cellules nerveuses s'appellent aussi les neurones. Elles transportent des messages entre ton cerveau et ton corps. Elles peuvent être très longues. Celles qui descendent de tes jambes à tes orteils mesurent environ un mètre de long.

cellule dermique

△ Les cellules sont de forme et de taille différentes. Voilà une cellule dermique (de la peau).

▽ Le corps de tous les êtres humains fonctionne de la même manière, mais aucun n'est exactement pareil au tien !

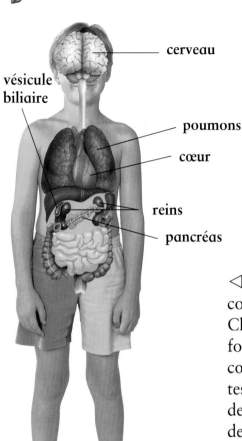

cerveau

vésicule
biliaire

poumons

cœur

reins

pancréas

▷ Certains organes
forment des systèmes. La
nourriture voyage dans
ton corps à travers le
système digestif, qui la
broie et la mélange à des
produits chimiques. Les
éléments utiles passent
dans ton sang, qui les
distribue dans ton corps.
Tes cellules en ont besoin
pour fonctionner.

◁ Certaines parties du
corps sont des organes.
Chacun d'eux a une
fonction précise. Ton
cœur fait circuler le sang,
tes poumons te permettent
de respirer, et ton estomac
de digérer la nourriture.
Ton cerveau te sert à
penser et contrôle en plus
tout ton corps.

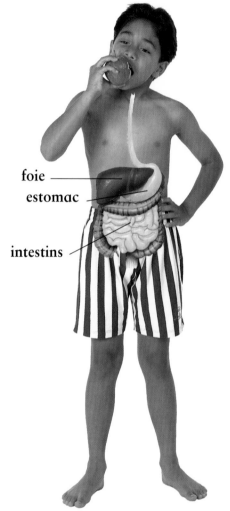

foie

estomac

intestins

▷ Comme tout le reste, ton
sang est fait de cellules.
Il y a deux sortes de cellules
sanguines : les globules
rouges et les globules blancs.
Les rouges contiennent de
l'hémoglobine et transportent
l'oxygène de l'air que tu
respires vers toutes les
cellules de ton corps.
Les blancs te défendent
contre les maladies. Le sang
voyage dans ton corps par
les vaisseaux sanguins.

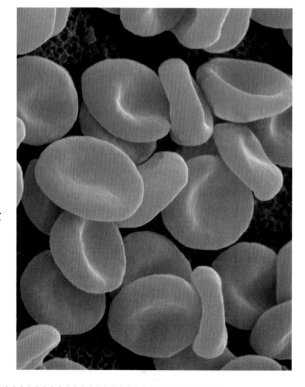

▷ Ton cœur envoie du
sang à toutes les parties
de ton corps par les
artères (en rouge). Le
sang revient dans ton
cœur par les veines
(en bleu). Puis le sang
est envoyé dans tes
poumons, et de nouveau
partout ailleurs dans
ton corps.

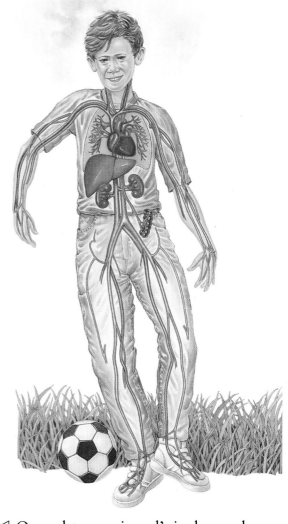

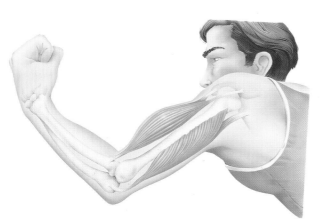

△ Quand tu bouges, tes muscles
et tes os travaillent ensemble. Les
muscles de ton bras tirent sur tes os
pour plier ou étendre ton bras.

◁ Quand tu respires, l'air descend par
la trachée et les bronches vers tes
poumons. De là, l'oxygène passe dans
ton sang. Puis il est transporté vers
toutes les cellules de ton corps, qui
en ont besoin pour vivre.

◁ Ton cœur bat environ une fois par
seconde. Prends le pouls d'un ami, en
appuyant légèrement sur son poignet.
Peux-tu sentir les battements de son sang
dans la veine ?

En savoir plus

Biologie
Énergie
Êtres vivants
Lumière
et lentilles
Médecine
Reproduction
Sens

Couleurs

Ce qu'on appelle couleur est en fait de la lumière colorée. La lumière du jour est appelée lumière blanche. Elle semble incolore, pourtant c'est un mélange de toutes les couleurs. Ce que tu vois d'un objet, c'est la lumière qu'il renvoie dans ton œil. Chaque objet absorbe certaines couleurs et renvoie les autres. Ainsi, une feuille nous paraît verte parce qu'elle ne renvoie que la lumière verte.

Infos

• Les images de ce livre sont faites de petits points de couleur : du jaune, du rose foncé, du bleu et du noir. Ces quatre couleurs, mélangées, forment toutes les couleurs que tu vois.

△ **1** Place une assiette sur un carton blanc. Dessine un cercle tout autour et découpe autour.

△ **2** Divise ton disque en trois parties égales, puis colorie-les en rouge, vert et bleu.

△ On voit un arc-en-ciel quand le soleil brille et que ses rayons traversent la pluie. Les gouttes d'eau décomposent la lumière et font alors apparaître les couleurs qu'elle contient.

△ **3** Enfonce un crayon au centre et fais tourner le disque comme une toupie : les couleurs se confondent et le disque paraît blanc.

∇ Le rouge, le bleu et le vert sont les couleurs fondamentales de la lumière. Ajoutées, elles donnent la lumière blanche.

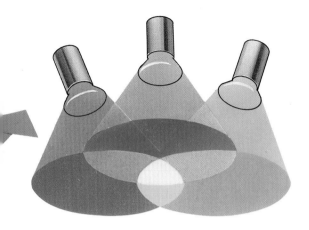

△ Les fleurs sont souvent très colorées. Leurs couleurs indiquent aux insectes et aux oiseaux qu'il y a du nectar à prendre. Ce colibri se sert de son long bec pour atteindre le nectar à l'intérieur de la fleur.

∇ Les couleurs de la coccinelle préviennent les autres animaux qu'elle n'est pas comestible.

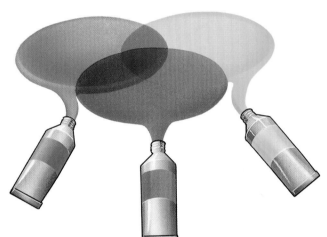

△ Le rouge, le bleu et le jaune sont les couleurs primaires en peinture. Avec elles, tu peux faire toutes les autres couleurs.

▷ Les lumières colorées des feux de signalisation sont des messages. Le rouge veut dire « arrêtez-vous », l'orange « attention » et le vert « allez-y ».

◁ Cet insecte a exactement la même couleur que la feuille sur laquelle il se trouve. Son déguisement le protège, car il le cache aux yeux des ennemis qui pourraient le manger.

En savoir plus
Êtres vivants
Lumière et lentilles

Eau

L'eau est le liquide le plus répandu sur notre planète. Elle se trouve dans les océans, qui occupent les deux tiers de la surface terrestre. Mais il y en a aussi dans les rivières, les lacs, ainsi que dans l'air. C'est de la glace dans l'Arctique et l'Antarctique. Même notre corps est formé aux deux tiers d'eau. Tous les êtres vivants ont besoin d'eau pour vivre.

△ 1 Regarde ce qui arrive quand l'eau gèle. Remplis d'eau un flacon en plastique sans le boucher. Mets-le au congélateur.

Comment l'eau arrive dans nos maisons

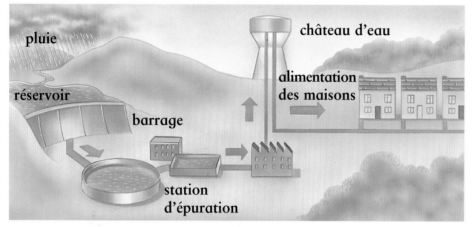

pluie

château d'eau

réservoir

alimentation des maisons

barrage

station d'épuration

△ D'où vient l'eau que tu bois et avec laquelle tu te laves ? En général, elle sort du robinet. Elle vient d'un château d'eau, parfois lointain, puis arrive dans les maisons par des tuyaux souterrains.

△ 2 La glace déborde du flacon car l'eau augmente de volume en se solidifiant. La plupart des liquides, au contraire, se contractent.

▷ L'eau de la mer, chauffée par le soleil, s'évapore. Elle forme les nuages quand elle refroidit. Puis les rivières ramènent l'eau de pluie vers la mer. C'est le cycle de l'eau.

Le cycle de l'eau

l'eau s'évapore (devient gaz, vapeur d'eau)

les nuages se forment

l'eau de pluie forme les ruisseaux et les rivières

△ L'eau use les rives et le lit des rivières. Ce phénomène est appelé érosion. Le Grand Canyon, aux États-Unis, a été formé par l'érosion. Il a fallu des millions d'années au fleuve Colorado pour creuser ce canyon.

▽ Un iceberg est un énorme morceau de glace qui flotte dans la mer (car il est plus léger que l'eau). Seule sa pointe dépasse de la surface, l'essentiel est sous l'eau. Les icebergs se forment dans les étendues gelées des pôles, ou dans des rivières de glace appelées glaciers. Des morceaux s'en détachent et flottent à la dérive sur la mer.

△ **1** Pourquoi le sel sur les routes empêche-t-il le verglas ?
Mets à dissoudre autant de sel que tu peux dans un pichet d'eau. Verse l'eau salée dans un récipient, puis de l'eau non salée dans un autre.

△ **2** Place-les au congélateur. L'eau salée met plus de temps à geler car son point de congélation est à plus basse température. Sur une route salée, la glace ne se forme que s'il fait beaucoup plus froid.

En savoir plus

Air et atmosphère

Froid et chaud

Gaz

Liquides

Ondes et vagues

Solides

Transformation de la matière

Électricité

L'électricité est une forme d'énergie. On parle donc d'énergie électrique. Les piles peuvent fournir de l'électricité, mais celle de nos maisons provient surtout des centrales électriques et nous arrive à travers des câbles très épais. Dans ces câbles, l'électricité se déplace comme un courant, c'est pourquoi on parle de courant électrique. L'électricité qui ne se déplace pas est appelée électricité statique.

△ L'éclair est une énorme étincelle d'électricité. L'électricité statique se forme dans les nuages avant de jaillir dans le ciel, d'un nuage à un autre, ou vers le sol.

▽ Passe un peigne en plastique plusieurs fois dans tes cheveux. Tiens-le ensuite au-dessus de petits morceaux de papier et vois comme il les attire. Le fait de te peigner produit de l'électricité statique sur le peigne. Un objet ainsi chargé est capable d'attirer d'autres objets.

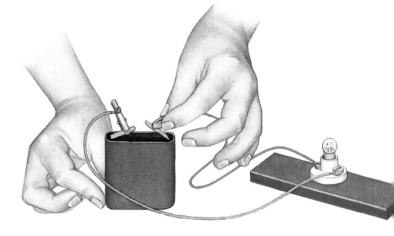

△ Les fils électriques doivent former une boucle pour que le courant passe : c'est un circuit. Dans une lampe de poche, le circuit va d'une extrémité de la pile à l'autre, en passant par l'ampoule et l'interrupteur. Si le circuit est coupé, l'ampoule ne s'allume pas.

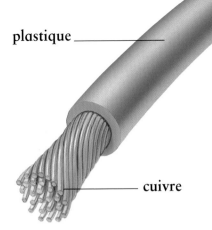

plastique —————

cuivre ——————

◁ Certaines matières permettent à l'électricité de les traverser. On les appelle conducteurs. En général, les fils électriques sont en cuivre, qui est un bon conducteur. On les enrobe de matière plastique pour les isoler. De cette façon, si le fil touche un autre conducteur, l'électricité ne risque pas de se transmettre de l'un à l'autre.

L'électricité est dangereuse. Ne joue jamais avec les prises ou les appareils électriques. Ne grimpe jamais sur un poteau électrique.

▷ **1** Fais cette expérience pour tester les matières qui sont conductrices. Celles qui ne le sont pas s'appellent des isolants. L'image te montre ce dont tu as besoin. Commence par faire un circuit, comme celui de la page précédente.

1

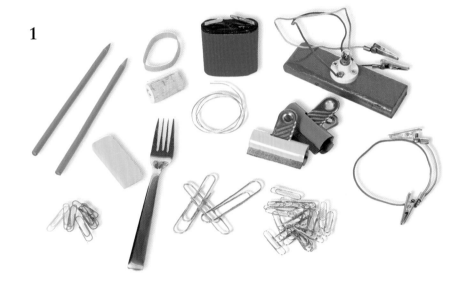

2

△ **2** Si tu interromps le circuit, qu'arrive-t-il à l'ampoule ? Referme le circuit avec un trombone. Que se passe-t-il ?

3

△ **3** Mets d'autres objets dans le circuit, tels qu'une fourchette ou un élastique. Lesquels sont de bons conducteurs ? Lesquels sont isolants ?

▷ Ces hautes tours, appelées pylônes, servent de support aux gros câbles qui transportent l'électricité des centrales électriques vers les villes et les villages. Là, les câbles continuent souvent leur voyage sous terre.

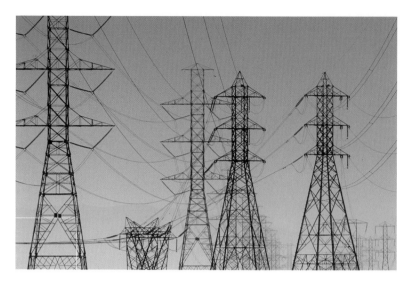

Infos

• Les hauts immeubles ainsi que les clochers des églises sont souvent surmontés de paratonnerres. Si la foudre les frappe, un câble en métal conducteur fait descendre l'électricité jusqu'au sol, en toute sécurité.

◁ Ces petites voitures se commandent en contrôlant la quantité d'électricité qui passe dans les rails de la piste. Dans divers appareils, le flot d'électricité est contrôlé par de petits circuits électroniques très compliqués.

▽ Ce train électrique comporte un petit moteur. L'électricité circule dans les rails, se transmet au train et fait tourner le moteur qui, à son tour, entraîne les roues. Quand l'électricité s'arrête, le train s'arrête.

En savoir plus

Batteries et piles
Calculatrices
Énergie
Magnétisme
Ordinateurs

Énergie

Rien ne peut se faire sans énergie. L'énergie se trouve partout et fait fonctionner toutes les choses, y compris ton corps. Elle est de différentes sortes : énergie mécanique, énergie solaire, énergie thermique, énergie chimique, énergie électrique… Elle peut se transformer, changer de nature, mais elle ne peut ni surgir du néant, ni être détruite.

△ Le son est une énergie. Si tu joues du tambour, le son se répand dans l'air sous forme d'ondes. Quand elles arrivent à ton oreille, tu entends le son du tambour.

△ Une grande ville comme New York a besoin d'une énorme quantité d'énergie pour éclairer et chauffer ses bureaux, ses maisons, et pour faire rouler les voitures, les bus ou les trains.

énergie solaire

▽ Les plantes utilisent l'énergie solaire pour fabriquer leurs propres aliments. Tous les êtres vivants, les plantes comme les animaux, puisent dans leur nourriture l'énergie nécessaire à la vie. Certains animaux mangent des plantes, ou d'autres animaux, ou les deux. De toute façon c'est le soleil qui fournit à tous l'énergie indispensable.

▽ Fabrique un serpent en papier selon le modèle. Suspends-le au-dessus d'une source de chaleur. Il se met à tourner. C'est l'air chargé d'énergie thermique qui le fait tourner comme une hélice.

△ Cette boisson chaude contient de l'énergie thermique. La chaleur passe dans l'air et dans tes mains, et la boisson refroidit peu à peu. Si tu la bois à temps, c'est ton corps qui recevra cette énergie.

◁ Pour courir ou sauter, tu utilises l'énergie tirée de tes aliments. Tes muscles la transforment en énergie mécanique.

▽ Es-tu prêt pour les montagnes russes ? Les chariots qui roulent à toute allure sont pleins d'énergie mécanique.

▽ Lorsqu'il gravit une côte, le chariot ralentit. L'énergie mécanique se transforme peu à peu en énergie potentielle. C'est une forme d'énergie qu'on emmagasine et qui reste en attente, prête à être utilisée.

▽ Le vent, c'est de l'air avec de l'énergie mécanique. Les pales de ces éoliennes capturent cette énergie, et les turbines la transforment en énergie électrique.

△ Sous la croûte terrestre, la roche profonde est brûlante. À certains endroits, elle se trouve près de la surface. Son énergie thermique peut être très utile. On pompe de l'eau à travers cette roche pour la faire chauffer, puis on l'amène par des tuyaux dans les maisons. Cela s'appelle l'énergie géothermique.

▷ Dès la préhistoire, les hommes se sont servis de l'énergie thermique du feu. Nous l'utilisons encore pour cuire nos aliments et nous chauffer.

△ Lorsque tu redescends, tu reprends de la vitesse. L'énergie potentielle se transforme à nouveau en énergie mécanique.

Infos

• Tu peux courir 2 kilomètres avec l'énergie contenue dans une barre de chocolat, mais seulement 50 mètres avec celle d'une feuille de salade.

forêt
ancienne

◁ Le pétrole, la houille et le gaz naturel sont des sources importantes d'énergie qui se trouvent dans le sol ou au fond de la mer. Ces gisements se sont formés il y a des millions d'années à partir de résidus d'animaux et de plantes. C'est pourquoi on les appelle énergies fossiles.

houille – résidu
de la forêt ancienne

1

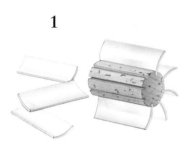

2

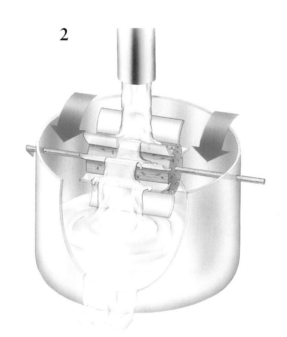

◁ **2** Plante deux baguettes de chaque côté du bouchon (demande à un adulte de te faire un support avec le fond de la bouteille). Place ton moulin sous un robinet. Il tourne. L'énergie mécanique capturée par ton moulin pourrait servir à faire de l'électricité !

△ **1** Fabrique ton moulin à eau : demande à un adulte de faire des entailles dans un bouchon et de découper des rectangles dans une bouteille plastique. Glisse les rectangles dans les fentes.

▷ Une turbine est une sorte de moulin qui peut produire de l'électricité. Il y en a une à l'intérieur de ce barrage. En coulant à travers le barrage, l'eau fait tourner la turbine, qui à son tour fait tourner un générateur. Celui-ci transforme l'énergie mécanique en énergie électrique.

En savoir plus

Carburants
Électricité
Énergie nucléaire
Force
Froid et chaud
Machines
Moteurs
Ondes et vagues
Transformation
de la matière

Énergie nucléaire

Tout ce qui existe est fait d'atomes. Un atome a un noyau entouré d'électrons. Si l'on arrive à briser le noyau, une énorme quantité d'énergie s'en dégage. C'est l'énergie nucléaire. Dans les centrales nucléaires, on s'en sert pour produire de l'électricité. Au cours de sa fission, l'atome dégage aussi des rayons, c'est-à-dire de la radioactivité. Ce qui dégage de la radioactivité est radioactif.

△ D'immenses quantités d'énergie se forment dans le Soleil. Là, les atomes se combinent au lieu de se diviser, ce qui est une autre façon de produire de l'énergie nucléaire.

◁ Dans une centrale nucléaire, les réacteurs brisent les atomes et l'énergie se dégage sous forme de chaleur. C'est cette chaleur qu'on utilise pour produire de l'énergie électrique.

▷ Ce logo signifie « Danger ! Radioactivité ! » Il est utilisé partout où il y a des substances radioactives. Elles sont très dangereuses, causant des brûlures et de graves maladies aux gens et aux animaux.

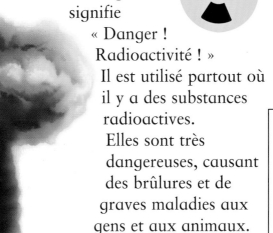

▷ Une bombe atomique produit une terrible explosion. Des milliards d'atomes sont scindés en même temps et l'énergie dégagée est immense. Après l'explosion, des radiations très nocives subsistent pendant de longues années.

En savoir plus
Atomes
Carburants
Énergie
Système solaire
Univers

Enregistrer

Enregistrer quelque chose, c'est le conserver de manière à pouvoir le voir ou l'entendre à nouveau. On peut enregistrer des voix, de la musique et des images.
En général, on enregistre surtout des sons. Ce qu'on enregistre en réalité ce sont des vibrations de l'air. Cela peut se faire à l'aide d'un magnétophone.

△ **1** Si tu enregistres ta voix, le microphone transforme le son (vibrations de l'air) en signal électrique. C'est ce signal qui est enregistré sur la bande de ton appareil.

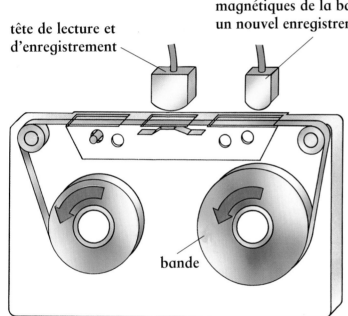

cette tête efface les traces magnétiques de la bande avant un nouvel enregistrement

tête de lecture et d'enregistrement

bande

◁ **2** La bande dans ton appareil a une couche magnétique. Lors d'un enregistrement, un électro-aimant marque des traces invisibles sur la bande.

Infos

• Les avions ont des appareils qui enregistrent les mouvements de l'avion pendant son voyage. Dans le cockpit, un magnétophone enregistre aussi tout ce que disent les pilotes pendant le vol.

△ **3** Pour lire un enregistrement, l'appareil transforme les traces magnétiques en signal électrique. Ce signal passe dans le haut-parleur, qui reconstitue les sons.

▷ Dans un CD, les sons sont enregistrés sous forme de petites marques sur sa surface. Un rayon laser lit ces marques et les circuits électroniques de l'appareil les transforment de nouveau en sons.

En savoir plus
Électricité
Lasers
Magnétisme
Sons
Vidéo

Environnement

Ton environnement, c'est le milieu dans lequel tu vis : ta maison, ton école, les gens, les animaux et les plantes qui t'entourent, mais aussi l'air que tu respires, le temps qu'il fait et le sol sur lequel tu marches.

Comme toi, tous les êtres vivants ont leur propre environnement, qui peut être le même que le tien ou un autre très différent, comme le fond de la mer ou les cimes des montagnes.

△ Un environnement peut être abîmé, et même détruit. Quand l'homme abat une forêt, la plupart des animaux qui y vivaient meurent, privés de nourriture et d'abri.

▽ Le récif de corail est un des nombreux environnements sous-marins. Là vivent des milliers de plantes, de poissons et d'autres créatures de la mer.

△ Les animaux s'adaptent à leur environnement. Cette chèvre vit au sommet de la montagne. C'est une excellente grimpeuse, elle peut sauter d'un rocher à l'autre.

En savoir plus

Saisons
Temps
Terre

Espace

Les astronautes vont dans l'espace pour accomplir des tâches telles que réparer des satellites ou faire des expériences. Quand ils quittent leur vaisseau, ils portent un scaphandre qui les protège du froid et des rayons du Soleil et ils ont des réserves d'air. Les hommes ont déjà marché sur la Lune, mais jamais sur une autre planète.

◁ **1** Découvre comment fonctionne une fusée. Introduis une ficelle dans une paille, puis tends-la d'un mur à l'autre. Gonfle un ballon. Tiens-en le bout pour que l'air ne sorte pas, mais n'y fais pas de nœud.

△ Voilà une navette spatiale qui décolle. Des fusées très puissantes dégagent un jet de gaz et propulsent le vaisseau vers le ciel. Pour la mise en orbite, la vitesse de l'engin doit être d'environ 28 000 kilomètres à l'heure.

▷ **2** Colle le ballon à la paille avec du ruban adhésif. Le ruban doit toucher le ballon et la paille, mais surtout pas la ficelle.

◁ **3** Assure-toi que le ballon est toujours gonflé. Fais-le glisser à l'aide de la paille jusqu'au bout de la ficelle. Puis lâche-le. L'air qui s'en échappe pousse la paille le long de la ficelle tout comme la fusée pousse la navette.

▷ La navette conduit les astronautes dans l'espace et lance des satellites et des sondes. Elle reste en orbite autour de la Terre une ou deux semaines, avant de revenir. Plus tard, elle pourra repartir dans l'espace.

▽ Dans l'apesanteur de l'espace, les astronautes flottent. Sur Terre, ils s'entraînent dans une piscine : flotter dans l'eau, c'est un peu comme flotter dans l'espace.

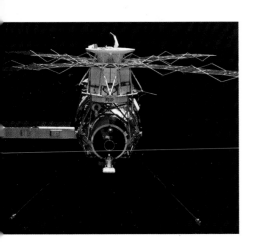

◁ Une station spatiale est un vaisseau qui reste en orbite. Les scientifiques y vivent durant des mois pour faire leurs expériences.

▽ Vivre dans une station n'est pas simple, même à l'heure des repas : si on ne la retient pas, la nourriture flotte dans la cabine !

Infos
• Le premier homme dans l'espace fut le Russe Youri Gagarine, en 1961. Il resta 89 minutes en orbite autour de la Terre. De nos jours, les astronautes passent des mois dans les stations.

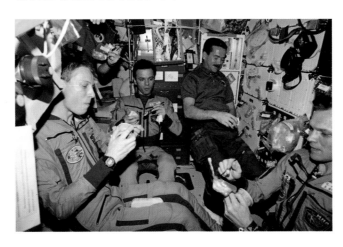

◁ Il a fallu deux jours aux astronautes pour arriver sur la Lune. De leur vaisseau, un module lunaire les a déposés sur la surface et les a ramenés à bord. Sur cette photo, on voit les astronautes qui se promènent sur la Lune dans leur Lunar Rover.

En savoir plus
Carburants
Frottement
Gravité
Moteurs
Système solaire
Terre

Êtres vivants

Les êtres vivants se nourrissent, respirent, grandissent et se reproduisent. Il y a deux familles principales : les plantes et les animaux. Les animaux se déplacent et mangent d'autres êtres vivants pour se nourrir. Les plantes ne se déplacent pas et produisent leur propre nourriture en utilisant l'énergie de la lumière.

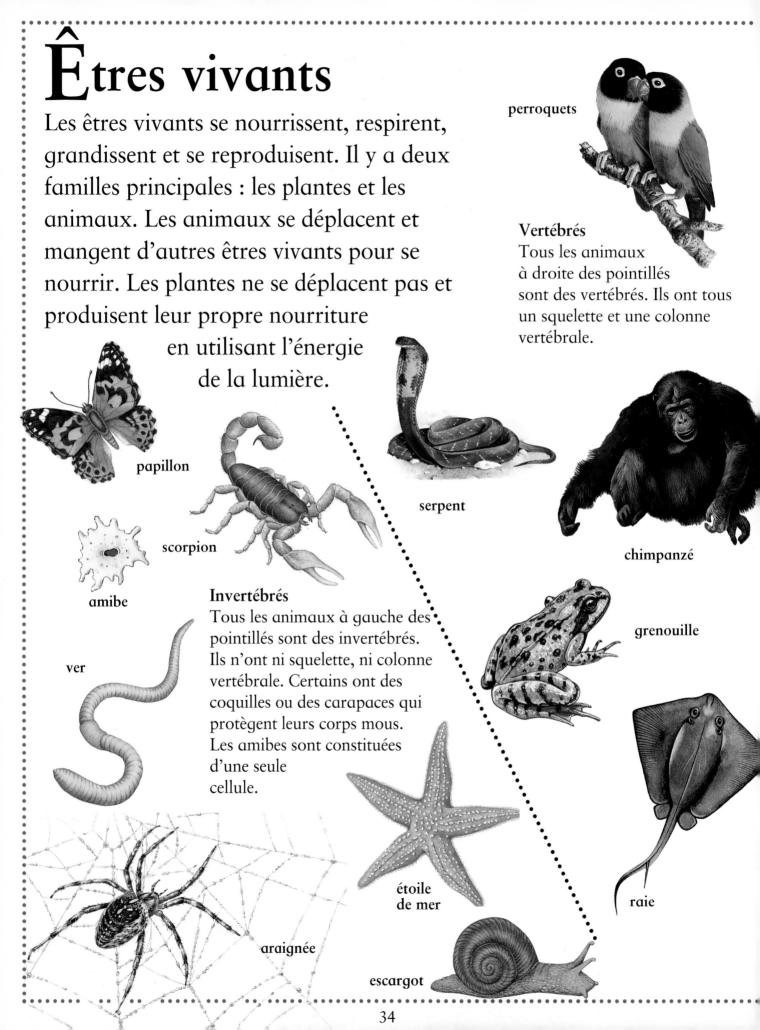

perroquets

Vertébrés
Tous les animaux à droite des pointillés sont des vertébrés. Ils ont tous un squelette et une colonne vertébrale.

papillon

amibe

scorpion

serpent

chimpanzé

Invertébrés
Tous les animaux à gauche des pointillés sont des invertébrés. Ils n'ont ni squelette, ni colonne vertébrale. Certains ont des coquilles ou des carapaces qui protègent leurs corps mous. Les amibes sont constituées d'une seule cellule.

ver

grenouille

raie

étoile de mer

araignée

escargot

34

▽ Les plantes fabriquent leur nourriture avec l'énergie solaire, l'eau et les sels minéraux du sol. Leurs fleurs donnent des graines qui formeront de nouvelles plantes.

fleur

tige

feuille

racine

△ L'hiver, certains animaux, comme cet ours, hibernent : ils tombent dans un profond sommeil et économisent ainsi leur énergie, n'ayant pas à se dépenser pour chasser.

▽ L'anémone de mer a l'aspect d'une plante, mais c'est un animal. Elle se sert de ses tentacules pour attraper les petites créatures qu'elle mange.

▽ Il y a des centaines de milliers d'espèces de plantes. Certaines sont si petites qu'on ne les voit qu'au microscope. D'autres, comme les arbres, peuvent être immenses.

△ Les animaux doivent manger pour vivre. Il y en a qui mangent des plantes. D'autres, comme cet aigle pêcheur, mangent des animaux. De même que certains animaux, les humains mangent les deux.

Habitats

Arctique

▽ Les dodos vivaient sur l'île de la Réunion, dans l'océan Indien. On a tellement tué de ces oiseaux pour s'en nourrir qu'il n'en reste plus aucun. Leur espèce a disparu.

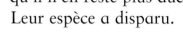

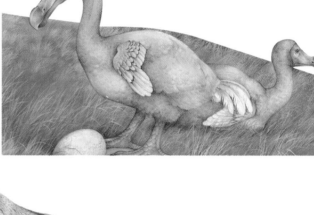

désert

◁ Le rhinocéros est une espèce qui risque de disparaître : les chasseurs en ont tué beaucoup pour récupérer leurs précieuses cornes. Les cornes de celui-ci ont été coupées afin de le protéger.

forêt vierge

◁ Les milieux où habitent les animaux et les plantes sont appelés habitats. Animaux et plantes s'adaptent à leur habitat particulier. Les animaux de l'Arctique ont d'épaisses fourrures qui les protègent du froid. Les plantes et les animaux du désert se contentent de très peu d'eau pour vivre.

savane

◁ Dans la forêt vierge vivent la moitié des espèces végétales et animales du monde. Dans les savanes africaines, le lion attend ses proies, antilopes et zèbres.

En savoir plus

Air et atmosphère

Corps humain

Eau

Jour et nuit

Médecine

Sens

Terre

Expériences

Les chercheurs essaient toujours d'en savoir plus sur le monde qui nous entoure. Ils testent leurs idées en faisant des expériences, parfois rapides et faciles à réaliser, parfois très longues et compliquées. Une expérience ne marche pas forcément du premier coup. Il faut alors recommencer. En voici une que tu peux faire pour savoir quelle balle rebondit le mieux.

△ **1** Il te faut plusieurs sortes de balles : par exemple, une balle de tennis et une balle en mousse. Tu auras également besoin d'une grande règle ou d'un mètre pour prendre des mesures.

▷ **4** Analyse tes résultats. Que montrent-ils ? Avais-tu essayé de les deviner avant de commencer ? Tes prévisions se sont-elles vérifiées ?

◁ **2** Dis à un ami de tenir la règle bien droite. Les balles doivent toutes tomber de la même hauteur. Avant d'en lâcher une, devine à quelle hauteur elle va rebondir.

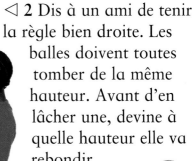

△ **3** Pour chaque balle que tu utilises, note de quel type de balle il s'agit et à quelle hauteur elle a rebondi.

En savoir plus

Biologie

Chimie et produits chimiques

Énergie

Physique

Feu

Depuis des millions d'années, les hommes utilisent le feu pour cuire leurs aliments et se chauffer.

Le feu est une réaction chimique due à la combinaison de certaines substances avec l'oxygène de l'air. Il dégage de la lumière et de la chaleur. Certaines matières, comme le bois, brûlent bien. D'autres, comme la pierre, ne brûlent pas du tout.

△ Quand tu grattes une allumette, le frottement produit assez de chaleur pour que le soufre au bout de l'allumette prenne feu.

 Le feu est dangereux. Ne joue jamais avec des allumettes et reste à l'écart des feux.

△ Les pompiers étouffent le feu avec de l'eau, parfois avec de la neige carbonique. Cela empêche l'oxygène d'alimenter le feu : l'incendie s'arrête. Ils portent des combinaisons qui les protègent de la fumée et des flammes.

▽ Les fusées des feux d'artifice contiennent des explosifs, qui brûlent très vite et dégagent des gaz qui les propulsent dans le ciel.

En savoir plus

Carburants
Chimie et produits chimiques
Énergie
Moteurs

Flotter

Pourquoi certaines choses flottent-elles sur l'eau, alors que d'autres coulent ? Pense à l'espace que les objets occupent, c'est-à-dire à leur volume.
Pour flotter, un objet doit peser moins lourd que son volume en eau : un ballon flotte sur l'eau parce qu'il est plus léger que la quantité d'eau qui occuperait le même volume. Une pièce de monnaie pèse plus lourd que l'eau, alors elle coule.

△ Ces troncs sont acheminés de la forêt à la scierie par la rivière. Ils suivent le courant et flottent bien parce que le bois est plus léger que l'eau.

▷ Teste quelques objets pour voir s'ils flottent. Puis choisis-en un qui flotte bien et essaie de l'enfoncer dans l'eau. Sens-tu la résistance de l'eau qui le pousse vers la surface ? Cette force verticale, la poussée d'Archimède, est ce qui permet aux objets de flotter.

Infos

• Il est plus facile de flotter dans l'eau de mer, qui est salée, que dans l'eau douce. La mer Morte, au Moyen-Orient, est si salée qu'on y flotte sans avoir besoin de nager.

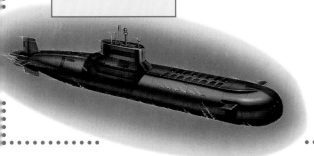

◁ Un sous-marin peut flotter ou couler. Pour le faire descendre, on laisse entrer de l'eau dans ses réservoirs, afin de l'alourdir. Pour remonter, on y envoie de l'air, afin de chasser l'eau et de le rendre à nouveau plus léger.

En savoir plus

Eau
Force
Liquides
Pression
Voler

Force

Une force, c'est ce qui tire ou pousse. Une force peut faire bouger un objet. Pour lancer une balle, tu dois la pousser en l'air. Plus tu la pousses fort, plus elle va vite. Mais une force peut aussi arrêter un objet en mouvement. Arrêter une balle, c'est annuler sa vitesse en la poussant dans l'autre sens. Les moteurs produisent des forces qui font marcher les machines. Sur Terre, la force de gravité attire tout vers le sol.

△ Ce garçon tire sur la barre. Il exerce une force qui le soulève. Quand il relâche ses muscles, la force de gravité l'attire vers le bas.

▽ La gravité attire cette petite fille en bas du toboggan. Une autre force, le frottement, ralentit sa chute. Comme le toboggan est lisse, cette force est très faible. Plus une surface est rugueuse, plus le frottement est grand.

◁ Une force peut aussi déformer un objet : chaque fois que le garçon rebondit sur le sol, il aplatit la balle sous ses pieds. Aussitôt celle-ci reprend sa forme et le relance vers le haut.

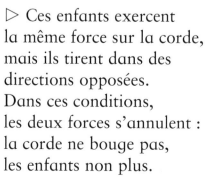

▷ Ces enfants exercent la même force sur la corde, mais ils tirent dans des directions opposées. Dans ces conditions, les deux forces s'annulent : la corde ne bouge pas, les enfants non plus.

▷ L'enfant sur la balançoire a besoin d'une force qui le mette en mouvement. Son ami l'exerce pour lui. Quand la balançoire est en haut de sa trajectoire, la gravité la fait redescendre.

▷ Ce garçon exerce une force avec les muscles de ses jambes. De sa jambe droite il pousse vers l'arrière et, de la gauche, se laisse rouler vers l'avant. Comme les roulettes produisent très peu de frottement, il n'est presque pas freiné.

▷ Sur ces images, des flèches montrent la direction des forces qui s'exercent. La petite fille au blouson orange pousse de toutes ses forces.

△ C'est plus facile de pousser à deux. Plus la force exercée est importante, plus la vitesse augmente rapidement.

▷ Lorsqu'une force travaille dans une direction, une force de même grandeur travaille dans la direction opposée. Quand tu pousses quelque chose, comme ce mur, par exemple, tu peux sentir la force qu'il oppose à la tienne.

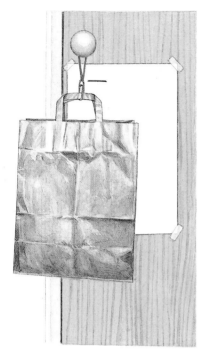

Une force peut étirer un objet. Tu peux faire cette expérience pour t'en rendre compte.

△ **1** Colle une grande feuille de papier sur une porte, comme sur l'image. Place un élastique autour de la poignée. Avec un trombone solide, accroche un sac à l'élastique.

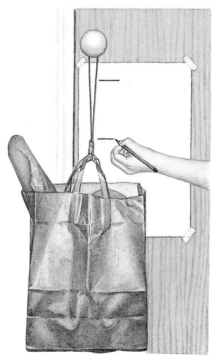

◁ **2** Fais une première marque à la base de l'élastique. Maintenant, mets des objets dans le sac. Chaque fois que tu ajoutes quelque chose, fais une nouvelle marque. Vois comme l'élastique s'allonge avec le poids. Y a-t-il un moyen de savoir quel est l'objet le plus lourd ?

◁ Il est plus difficile de pousser un objet sur une côte que sur du plat. C'est parce que tu pousses en t'opposant à la force de gravité.

En savoir plus

Énergie
Friction
Gravité
Mouvement
Pression
Voler

Froid et chaud

Chauffer ou refroidir, c'est ajouter ou enlever de l'énergie thermique. L'énergie de la chaleur passe toujours des endroits chauds vers les endroits froids. Par exemple, une boisson chaude refroidit car la chaleur s'échappe dans l'air ambiant, qui est plus froid. Pour savoir à quel point les choses sont chaudes ou froides, nous en mesurons la température.

△ **1** Pose une pièce de monnaie mouillée sur une bouteille de soda glacé. Tiens-la entre tes mains.

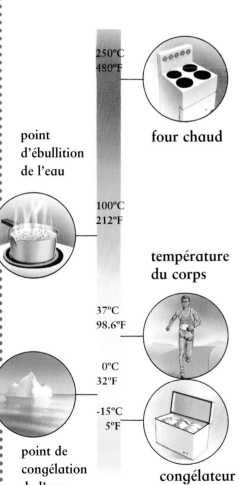

250°C
480°F

four chaud

point d'ébullition de l'eau

100°C
212°F

température du corps

37°C
98.6°F

0°C
32°F

-15°C
5°F

point de congélation de l'eau

congélateur

△ On mesure la température en degrés Celsius (°C) (appelés aussi degrés centigrades) ou en degrés Fahrenheit (°F).

▽ Quand l'eau bout, les molécules d'eau s'échappent dans l'air. Elles forment un gaz invisible appelé vapeur d'eau. Une fois dans l'air, ce gaz refroidit et se condense en toutes petites gouttes d'eau, qui forment ce que toi tu appelles la vapeur.

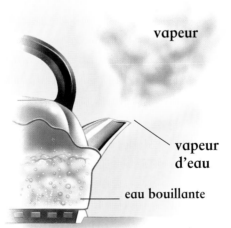

vapeur

vapeur d'eau

eau bouillante

△ **2** La pièce se soulève. C'est parce que tes mains rechauffent l'air froid de la bouteille, qui augmente alors de volume, poussant la pièce vers le haut.

En savoir plus
Énergie
Feu
Voler
Gaz
Transformation de la matière

◁ Les thermomètres mesurent la température. Celui-ci sert à mesurer la température d'un corps humain.

Frottement

Le frottement est une force qui tend à freiner le mouvement de deux surfaces qui glissent l'une contre l'autre. Moins les surfaces sont lisses, plus il est important. Le frottement empêche tes pieds de glisser quand tu marches, les objets que tu tiens de t'échapper des mains, ton vélo de déraper quand tu freines. Cherche d'autres exemples autour de toi.

△ Compare l'action du frottement sur différentes surfaces. Fais glisser des objets sur un plan incliné (crayon, gomme, pièce...). Lequel glisse le mieux ?

Info

• Un frottement produit toujours de la chaleur. C'est pour cela que tu te frottes les mains quand tu as froid.

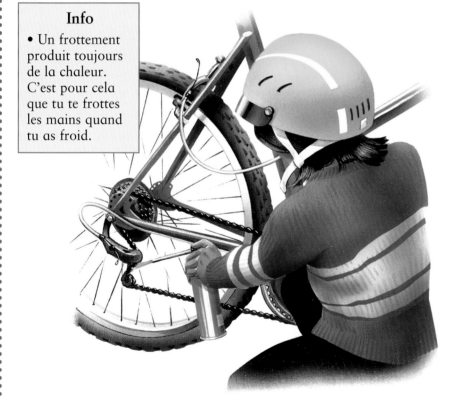

◁ Cette fille met de l'huile sur sa chaîne de vélo, car l'huile diminue les frottements de la chaîne et permet aux roues de mieux tourner. Elle pourra ainsi pédaler plus facilement et les pignons de son vélo s'useront moins vite. L'huile empêche aussi le métal de rouiller.

◁ L'air aussi peut engendrer des frottements. Cette voiture à l'allure sport a des formes douces et aérodynamiques qui réduisent beaucoup le frottement de l'air.

En savoir plus

Air
et atmosphère
Eau
Force
Machines

Gaz

La matière qui nous entoure est soit solide, soit liquide, soit gazeuse. Les gaz ont la propriété de se répandre et de remplir l'espace qui les contient. On peut aussi les comprimer dans un espace plus petit. Les solides et les liquides, eux, ne peuvent être comprimés. La plupart des gaz sont invisibles, mais certains ont une odeur qui permet de les détecter.

△ Fabrique un gaz et gonfle un ballon avec. Il te faut du vinaigre, du bicarbonate de soude, une bouteille, un entonnoir et un ballon.

1

△ **1** Verse du vinaigre dans la bouteille, à peu près 5 cm. Puis, à l'aide de l'entonnoir, verse un peu de bicarbonate dans le ballon.

2

△ **2** Enfile le ballon autour du goulot, puis secoue-le afin de faire tomber le bicarbonate de soude dans la bouteille.

3

△ **3** La soude et le vinaigre entrent en effervescence et dégagent du dioxyde de carbone. Ce gaz remplit la bouteille et gonfle le ballon.

◁ Dans un gaz, les molécules sont très espacées. C'est pourquoi on peut faire tenir un gaz dans un petit espace, en forçant ses molécules à se rapprocher.

En savoir plus

Air et atmosphère
Liquides
Solides
Transformation de la matière

Gravité

La gravité est une force. Elle attire toutes les choses vers le sol. Peser un objet, c'est mesurer l'emprise que la gravité a sur lui. La gravité de la Terre retient tes pieds au sol et empêche que les objets qui nous entourent ne se dispersent dans l'espace. Elle maintient aussi la Lune en orbite autour de la Terre. Chaque astre de l'Univers a sa propre force de gravité.

△ L'homme sur les échasses a un centre de gravité très haut. S'il se penche un peu sur le côté, il risque de tomber. Il lui faut beaucoup d'habileté pour rester debout.

▷ Cette poupée possède une base large et lourde, et un buste très léger. On dit que son centre de gravité est bas. Si tu la renverses, la gravité la remet debout.

◁ Quand ce garçon lance une balle en l'air, la gravité la fait retomber. S'il n'y avait pas de gravité, la balle continuerait sur sa lancée jusque dans l'espace.

Infos
• La gravité de la Lune agit sur la Terre et notamment sur les océans, provoquant les marées qui montent et descendent.

△ Quand tu te pèses, tu mesures la gravité qui te tire vers le bas. Les balances traduisent cette mesure en kilogrammes.

▽ **1** Crois-tu que ce qui est lourd tombe plus vite que ce qui est léger ? La réponse est dans cette expérience. Tu as besoin de deux balles de même taille mais de poids différents.

◁ **2** Il est important de lâcher les deux balles en même temps et à la même hauteur. Demande à un ami de te donner le départ.

▷ **3** Laquelle des deux balles touche le sol la première ? Elles le font en même temps, car le poids d'un objet ne change pas la vitesse de sa chute.

▽ La Lune est beaucoup plus petite que la Terre et sa force de gravité est donc beaucoup plus faible. Sur la Lune, cet astronaute est moins attiré vers le sol que sur Terre.

▷ Tu pourrais sauter bien plus haut sur la Lune, car la gravité y est très faible. Sur Terre, la gravité t'attire plus fortement vers le sol.

En savoir plus
Énergie
Espace
Force
Satellites
Terre
Univers
Voler

Inventions et découvertes

Tous les outils dont on se sert, du trombone à l'ordinateur, ont été inventés un jour par quelqu'un. Certaines inventions sont des idées nouvelles et originales, d'autres consistent à améliorer des outils déjà connus.
Une découverte est différente d'une invention. Là, quelqu'un trouve de nouveaux faits qui concernent la Terre ou l'Univers.

△ Ces chaussures ont des attaches Velcro : une bande de petits crochets en nylon contre une bande de petites boucles. Son invention vient de l'observation des graines de bardane, qui s'accrochent au pelage des animaux.

▷ Des inventions telles que celle du téléphone ont transformé la vie des gens. Il a été inventé par Alexander Graham Bell en 1876. D'autres inventions moins révolutionnaires, comme l'épingle à nourrice, sont néanmoins très utiles.

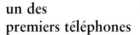
épingle à nourrice

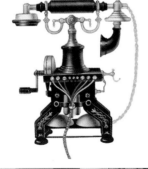
un des premiers téléphones

parapluie

△ Le parapluie a été inventé il y a plus de 2 000 ans en Chine.

▷ Le stylo à bille a été inventé, en 1938, par Lazlo Biro, puis amélioré et vendu par Marcel Bich (stylos Bic).

◁ L'image montre Alexander Fleming au travail dans son laboratoire. En 1928, il a découvert la pénicilline, l'un des premiers antibiotiques. Ces médicaments soignent des maladies comme la bronchite, et sauvent des vies.

En savoir plus

Enregistrer
Expériences
Machines
Micro-ondes
Ordinateurs
Rayons X
Technologie
Télévision

Jour et nuit

Le jour alterne avec la nuit car la Terre tourne en suivant son orbite autour du Soleil. Au fur et à mesure de sa rotation sur elle-même, chaque partie de sa surface est plus ou moins exposée aux rayons du Soleil. Il fait jour pour toi quand tu es dans la partie éclairée.

◁ En général, on dort la nuit et on travaille ou on joue dans la journée. Mais certains animaux sont nocturnes, comme le hibou, qui dort le jour et chasse la nuit.

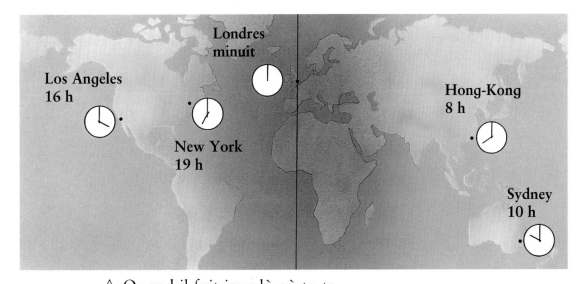

Los Angeles
16 h

Londres
minuit

New York
19 h

Hong-Kong
8 h

Sydney
10 h

△ Quand il fait jour là où tu te trouves, il fait nuit de l'autre côté de la Terre. L'heure change quand on voyage d'un continent à l'autre.

◁ Voici une expérience à faire avec un ami. Dans une pièce obscure, éclaire un côté du globe avec une lampe de poche. Ton ami doit le faire tourner doucement. Regarde comme chaque partie du globe est éclairée un certain temps tandis que l'autre est dans l'ombre.

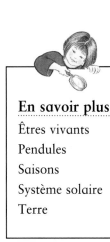

En savoir plus
Êtres vivants
Pendules
Saisons
Système solaire
Terre

Lasers

Le laser est un rayon d'énergie lumineuse. Ce n'est pas un rayon ordinaire. Il n'est fait que d'une couleur de la lumière et ne se répand pas comme le font les rayons de lumière. Le laser est utile de diverses façons, allant de la coupe des métaux à des opérations très délicates dans les hôpitaux.

△ Les chirurgiens emploient le rayon laser pour faire des opérations très précises. Ici, on opère l'œil d'une patiente.

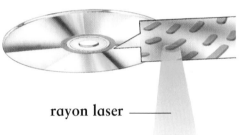

rayon laser ———

△ Dans un lecteur de CD-Rom il y a un laser qui détecte de tout petits trous sur le CD-Rom, que l'appareil transforme ensuite en chiffres pour l'ordinateur.

◁ De puissants rayons laser peuvent découper des feuilles métalliques, car le métal chauffe sous l'impact du rayon et fond.

En savoir plus

Couleurs
Énergie
Enregistrer
Lumière et lentilles
Mesures
Médecine
Ordinateurs

Liquides

L'eau, le jus d'orange, le sirop et l'huile sont des liquides. Le liquide est l'un des trois états de la matière, les autres étant les solides et les gaz. Les liquides, un peu comme les gaz, peuvent se répandre et changer de forme pour s'adapter au récipient qui les contient. Mais on ne peut pas les comprimer. Le liquide le plus abondant sur Terre, c'est l'eau.

△ La surface d'un liquide se comporte comme une peau fine et élastique. Cet insecte des étangs, très léger, peut marcher dessus sans la traverser.

 liquide

 gaz

 solide

eau   huile   miel

▽ Verse de l'eau dans des récipients de forme différente. Qu'arrive-t-il ? L'eau épouse la forme du fond du récipient.

△ Dans un gaz, les molécules se déplacent dans tous les sens. Dans un solide, elles sont attachées les unes aux autres et ne bougent pas. Dans un liquide, elles sont liées les unes aux autres, mais elles peuvent tout de même se déplacer.

△ Certains liquides sont plus fluides que d'autres. L'eau est très fluide. Le miel est plus épais et coule moins bien. Sur l'image, l'huile est-elle plus fluide que le miel ?

En savoir plus

Chimie et produits chimiques

Eau

Flotter

Friction

Gaz

Solides

◁ Ce liquide est du fer très chaud. D'ordinaire, le fer est un métal solide, mais si on le chauffe beaucoup, il fond. Dès qu'il refroidit, il redevient solide.

Lumière et lentilles

Sans la lumière, nous ne verrions rien. Dans la journée, la lumière nous vient du soleil. La nuit, nous nous servons de lumières artificielles, à la maison comme à l'extérieur. La lumière se déplace en ligne droite sous forme de rayons. Nous voyons les objets car les rayons qui les frappent sont réfléchis vers nos yeux.

▷ La lumière du soleil et des ampoules paraît blanche, mais elle est faite de plusieurs couleurs mélangées. Les objets ne renvoient que certaines couleurs et absorbent les autres. Celles qu'ils renvoient sont celles que nous voyons.

◁ La lumière se déplace en lignes droites appelées rayons. Si les rayons ne peuvent pas arriver sur une surface parce que quelque chose les stoppe, une ombre se forme. Tes mains font des ombres sur le mur car elles arrêtent la lumière qui va vers le mur.

▷ Les rayons de lumière peuvent changer de direction. Quand tu regardes une paille dans un verre d'eau, elle paraît tordue. Les rayons lumineux qu'elle réfléchit se réfractent (changent de direction) en sortant de l'eau pour passer dans l'air.

Infos

• La lumière se déplace à la vitesse de 300 000 kilomètres par seconde. Il faut 8 minutes aux rayons du Soleil pour arriver jusqu'à la Terre.

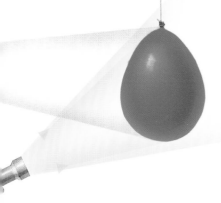

▽ Ce voyageur du désert voit un plan d'eau devant les palmiers. Mais il n'y a pas d'eau : ce n'est qu'un mirage. Cela se produit quand des couches d'air chaud proches du sol dévient les rayons lumineux sous un ciel très pur.

△ Comme celle du soleil, la lumière de cette lampe de poche est faite de plusieurs couleurs. Quand la petite fille l'éclaire, le ballon vert absorbe toutes les couleurs de la lumière, sauf le vert. La lumière verte est alors renvoyée dans l'œil de la petite fille, et elle voit un ballon vert.

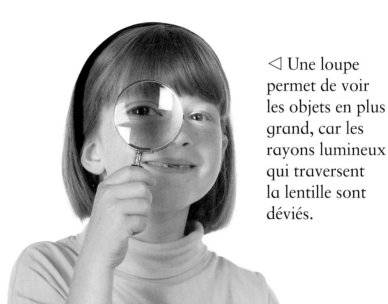

◁ Certaines créatures, comme ce ver luisant, produisent de la lumière avec leur corps. Celle-ci ne sert pas à voir la nuit, mais à attirer le mâle ou la femelle.

◁ Une loupe permet de voir les objets en plus grand, car les rayons lumineux qui traversent la lentille sont déviés.

▽ Un télescope sert à voir les objets éloignés. La nuit, si tu le diriges vers le ciel, tu peux voir beaucoup plus d'étoiles qu'à l'œil nu. C'est parce que le télescope peut capter bien plus de lumière que ton œil.

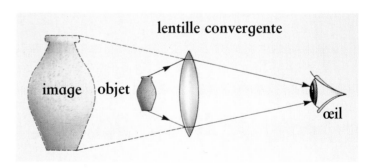

lentille convergente

image objet

œil

△ Voici comment une loupe fonctionne. Quand les rayons lumineux traversent la lentille, ils sont déviés vers l'intérieur. Lorsqu'ils arrivent dans ton œil, ils semblent provenir d'un objet beaucoup plus grand.

**lentille
convergente**

**lentille
divergente**

△ Une lentille
bombée au milieu
est dite convexe, ou convergente.
Quand les rayons de lumière la
traversent, ils sont déviés vers
l'intérieur. Une loupe est munie
d'une lentille convergente.

▽ Une lentille plus fine au milieu est
dite concave, ou divergente. Les
rayons de lumière qui la traversent
sont déviés vers l'extérieur. Si tu
regardes à travers, les choses
semblent plus petites qu'elles
ne le sont.

▷ Un microscope grossit
les objets plus fortement
qu'une loupe. Comme il
combine beaucoup de
lentilles, il permet de voir
les choses des centaines de
fois plus grandes qu'elles
ne le sont en réalité.
Cette chercheuse se sert
d'un microscope pour
examiner des microbes
minuscules.

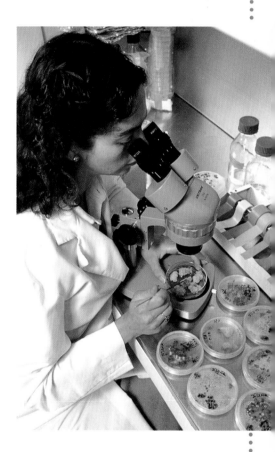

◁ Certains individus ont des yeux
qui ne dévient pas suffisamment
les rayons de lumière pour
produire une image nette.
D'autres ont des yeux qui
les dévient un peu trop. Les
verres de lunettes améliorent
la vue en corrigeant la
déviation des rayons lumineux.

En savoir plus
Énergie
Feu
Jour et nuit
Lasers
Miroirs
Sens
Télévision

Machines

Les machines sont des appareils qui rendent le travail plus facile. Il y en a de très simples, comme le marteau, la brouette ou les ciseaux. De tels outils sont utilisés par l'homme depuis des milliers d'années. Les machines modernes sont plus compliquées, comme les voitures, les machines à laver ou les ordinateurs.

▽ **1** Fabrique une machine simple. Pose de gros livres sur une table. Essaie de les soulever d'un seul doigt. C'est difficile. Maintenant, glisse le bout d'une règle dessous.

1

▷ **2** Soulève les livres à l'aide de ta règle. C'est beaucoup plus facile. La règle agit comme un levier. On se sert du levier pour soulever ce qui est lourd.

2

△ Une route en lacets n'est pas une machine, mais on s'en sert comme d'un outil. Elle permet de monter plus en douceur qu'en suivant une ligne droite.

pinces

▽ La plupart des appareils de la maison marchent à l'électricité.

sèche-cheveux

aspirateur

brouette

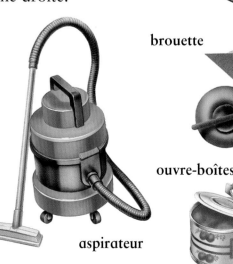

ouvre-boîtes

◁ Les pinces, la brouette et l'ouvre-boîtes sont des exemples de leviers. Pour les pinces, par exemple, en appuyant d'un côté du levier, sur les poignées, tu serres de l'autre côté les mâchoires de la pince.

◁ Une poulie est une machine qui permet de soulever des objets très lourds. Elle est faite d'une corde qui passe sur une ou plusieurs roues. En tirant un bout de la corde, l'autre bout soulève le poids qu'on y a suspendu.

△ Une moissonneuse-batteuse est une machine compliquée qui fait plusieurs choses en même temps. Elle coupe le blé, le bat pour séparer les graines de la paille, puis rassemble la paille en bottes.

▷ Les voitures, les trains et les avions sont des machines de transport pour les passagers et les marchandises. Leurs moteurs transforment le carburant en énergie pour faire tourner les roues ou voler l'appareil.

◁ Le vélo est un assemblage de machines simples qui travaillent ensemble. Les chaînes et les pignons, par exemple, permettent de pédaler plus facilement. Les freins ralentissent les roues quand on veut s'arrêter.

En savoir plus

Énergie

Force

Moteurs

Technologie

57

Magnétisme

As-tu déjà essayé d'attirer une feuille de papier avec un aimant ? Ce n'est pas possible ! Les aimants n'attirent que certains métaux, comme le fer ou l'acier. L'attraction exercée par les aimants s'appelle force magnétique.

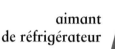

aimant de réfrigérateur

△ Le champ magnétique d'un aimant est la zone où agit sa force. Pour le voir, place un papier au-dessus d'un aimant et répands de la limaille de fer sur la feuille. Le dessin qui se forme est celui du champ magnétique, avec des lignes plus nettes autour des pôles de l'aimant.

▽ Un aimant a deux pôles, un pôle nord et un pôle sud. Les pôles opposés s'attirent. En revanche, deux pôles de même nature, deux pôles nord ou deux pôles sud, se repoussent.

△ La Terre a son champ magnétique, comme si un aimant géant la traversait. Ses pôles magnétiques coïncident à peu près avec les pôles géographiques nord-sud.

champ
magnétique
terrestre

aimant de réfrigérateur

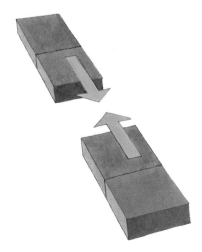

◁ L'aiguille d'une boussole est un aimant. Elle tourne sur le cadran et s'oriente sur un axe nord-sud, pointant en direction du nord magnétique terrestre.

Infos
• Les plus grands
électro-aimants
pèsent environ
7 000 tonnes :
autant que
1000 éléphants !

△ Ce train se déplace au-dessus d'un rail en «flottant». Un aimant est fixé tout le long du train et le rail est aussi un aimant. Ces deux aimants sont placés de telle sorte qu'ils se repoussent. C'est pourquoi le train peut avancer ainsi sans toucher le rail ni tomber.

◁ Fabrique des petits poissons en papier aluminium et fixe un trombone sur chacun. Puis fais-toi deux cannes à pêche, avec des aimants en guise d'hameçons. Joue avec tes amis. Qui en a pêché le plus ?

1

◁ **1** Tu peux faire un aimant avec de l'électricité. C'est ce qu'on appelle un électro-aimant. Il te faut du fil électrique, assez mince, enrobé de plastique, un clou en acier et une lampe de poche. Enroule d'abord le fil autour du clou, de haut en bas, sur environ trois épaisseurs.

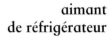

aimant
de réfrigérateur

2

▷ **2** Branche les extrémités du fil aux deux pôles de la pile de ta lampe pour créer un circuit. Essaie maintenant d'attirer des trombones avec le clou. Qu'arrive-t-il si tu débranches les fils de la pile ?

En savoir plus
Batteries et piles
Électricité
Enregistrer
Force
Machines
Matériaux
Télévision
Terre

Matériaux

Regarde autour de toi. Tu vois des vêtements, des chaussures, des tables, des livres… En quoi toutes ces choses sont-elles faites ? Il y en a qui sont en plastique, d'autres en métal, en bois ou en tissu. Ce sont des matières, ou matériaux. Chacune a son utilité. Par exemple, les chaussures sont souvent en cuir (ou en plastique), qui est à la fois souple et résistant.

▷ Ces pièces de vaisselle ont été moulées dans l'argile, une terre souple qui peut prendre diverses formes. Cuite au four, l'argile devient dure. On l'appelle alors céramique.

Infos

• Le papier a été inventé en Chine il y a environ 2 000 ans.

• Les tissus sont fabriqués sur des métiers à tisser. Le tout premier date d'environ 8 000 ans.

• Avant de découvrir les métaux, l'homme taillait le silex pour faire ses outils.

Fabrique un cerf-volant

ruban adhésif

baguettes

feuille de plastique

rubans

◁ Quel genre de matériaux te faut-il pour fabriquer un cerf-volant comme celui-ci ? N'oublie pas qu'il doit être à la fois léger, pour voler, mais aussi résistant, pour que le vent ne le déchire pas.

△ Prends des baguettes de bois pour faire le cadre, une grande feuille de plastique pour le couvrir et du fil de pêche, fin et résistant, pour le tenir.

◁ Tout ce que tu vois sur cette image est en plastique, une matière synthétique fabriquée dans les usines à partir de produits chimiques. Certains plastiques sont rigides. D'autres sont très souples.

△ Au lieu de jeter les emballages, on peut les faire recycler. Ces bouteilles, par exemple, vont être recyclées. On pourra s'en resservir ou bien récupérer et traiter le verre pour en faire de nouvelles bouteilles.

▷ Le tissu est fait de fibres que l'on tisse. La laine et le coton sont des fibres naturelles car elles proviennent des animaux et des plantes. Les fibres synthétiques, comme le nylon, sont fabriquées à partir de produits chimiques.

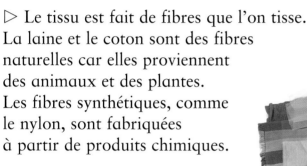

◁ La plupart des métaux sont rigides et brillants. On peut leur donner des formes diverses et en faire des couverts, des outils. Certains sont très résistants et ne fondent qu'à de très hautes températures. Ils sont parfaits pour fabriquer les casseroles.

◁ Partout, les gens utilisent dans leur quotidien les matériaux qu'ils trouvent facilement autour d'eux. Par exemple, ces bateaux sont faits avec des roseaux qui poussent sur un lac. Ceux qui les construisent vivent au bord de ce lac.

En savoir plus
Carburants
Environnement
Technologie

61

Mathématiques

Les mathématiques étudient les nombres et leurs usages. Dans la vie de tous les jours, les gens comptent leur argent, additionnent des prix, mesurent des objets ou calculent les scores dans les jeux.

Certains emploient les mathématiques dans leur travail : les scientifiques et les ingénieurs font de multiples calculs et utilisent les résultats dans leurs recherches.

▷ Les mathématiciens se servent parfois de tableaux et de graphiques pour présenter des résultats d'une manière plus claire et facile à comprendre.

graphique

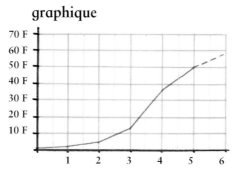

△ Fais-tu des opérations à l'école ? Addition, soustraction, multiplication et division sont des opérations arithmétiques. L'arithmétique n'est qu'une partie des mathématiques.

Infos
• Les Égyptiens ont utilisé la géométrie dans la conception des pyramides.

△ Ce graphique montre l'évolution de l'argent de poche d'un enfant en six ans.

camembert

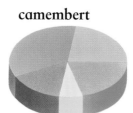

graphique en barres

△ Les camemberts et les graphiques à barres peuvent montrer ce que tu as acheté avec ton argent de poche. Chaque couleur désigne un achat : un bonbon, un jouet...

◁ La géométrie est la partie des mathématiques qui étudie les formes. Ces deux amies assemblent des hexagones et voient comment ils s'emboîtent sans laisser d'espace vide.

En savoir plus
Calculatrices
Expériences
Nombres

Médecine

La médecine est l'étude de la santé, des maladies et des lésions. Quand quelqu'un est malade, on demande l'aide d'un médecin, qui se sert de ses connaissances pour trouver ce qui ne va pas et soigner le patient. Beaucoup de maladies sont traitées par des produits chimiques : ce sont les médicaments.

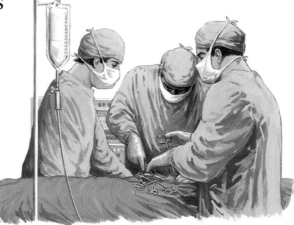

▽ Si un malade a besoin d'être opéré, un chirurgien pratique une ouverture pour atteindre l'intérieur du corps. On fait d'abord une anesthésie pour que le patient n'éprouve aucune douleur.

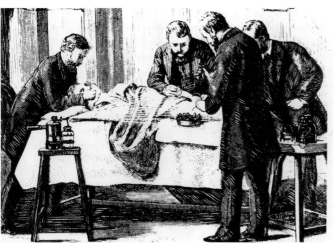

◁ Cette image montre la première utilisation des antiseptiques (produits chimiques qui tuent les microbes). C'était en 1867, au cours d'une opération. Avant, les opérés mouraient souvent d'une infection causée par un microbe.

acanthe

chicorée

△ Depuis des siècles, on se sert des plantes pour traiter les maladies. De nombreux médicaments modernes sont faits à base de produits tirés des plantes.

△ Les médecins te font parfois des piqûres pour te vacciner. Les vaccins nous empêchent d'attraper des maladies comme la rougeole.

Ne touche et n'avale jamais un médicament ou une plante si ce n'est pas un adulte qui te les donne.

En savoir plus

Biologie
Chimie et produits chimiques
Rayons X
Technologie

Mesures

Comment pouvons-nous connaître la taille, le poids ou la température des choses ? La réponse est simple : en les mesurant. Il y a différentes unités de mesure. Pour le poids, ce sont les grammes et les kilogrammes, pour la longueur les mètres et les kilomètres, pour la température les degrés.

△ Dans la plupart des pays les distances sont mesurées en kilomètres. Quelques pays les mesurent en miles. Ces panneaux, en Australie et aux États-Unis, montrent les deux. Un mile équivaut à 1,609 kilomètre.

◁ Cette petite fille mesure le bras de son ami. Elle se sert pour cela d'un mètre de couturière, qui marque les unités de longueur en mètres, en centimètres et en millimètres.

△ L'espace qu'un objet occupe s'appelle son volume. Ce vase gradué permet de mesurer le volume des liquides. L'unité de mesure est le litre.

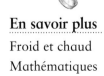

▷ Prends des mesures avec un chronomètre. Combien de temps faut-il à chacun de tes amis pour parcourir la même distance ? Demande à l'un d'eux de noter les résultats. Qui est le plus rapide ?

En savoir plus

Froid et chaud
Mathématiques
Nombres
Pendules

Micro-ondes

Y a-t-il un four à micro-ondes chez toi ? Les micro-ondes s'utilisent en cuisine, mais elles peuvent aussi transmettre des messages et des signaux à travers l'air et l'espace. Les programmes de télévision par satellite sont transmis par des micro-ondes, de même que les appels téléphoniques internationaux. Les communications passent par un satellite en orbite dans l'espace avant de revenir sur Terre.

△ Les antennes qui sont en haut de la tour envoient et reçoivent des micro-ondes. Elles transmettent les appels téléphoniques internationaux.

Ne te sers jamais d'un four à micro-ondes sans l'aide d'un adulte.

▽ Voici un four à micro-ondes. Les micro-ondes sont envoyées dans la nourriture et agitent les molécules d'eau qu'elle contient pour la réchauffer.

▷ Un appareil qui est à l'intérieur du four émet des micro-ondes.

ventilateur

micro-ondes

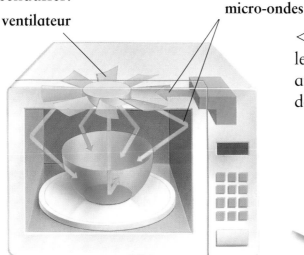

◁ Un ventilateur disperse les micro-ondes pour qu'elles atteignent toutes les parties de la nourriture.

▷ Les avions et les bateaux ont des radars pour détecter les objets à proximité. Un radar envoie des micro-ondes. Quand elles frappent un objet, elles sont renvoyées vers l'antenne du radar. L'objet apparaît alors sur un écran.

En savoir plus

Froid et chaud

Lumière et lentilles

Radio

Rayons X

Miroirs

Un miroir est une surface lisse et brillante qui réfléchit tous les rayons de lumière qui l'atteignent. Tu peux te regarder dans un miroir car la lumière que tu renvoies vers le miroir s'y reflète et revient dans tes yeux. La plupart des miroirs sont en verre. Ils ne servent pas qu'à se regarder soi-même. Ils ont beaucoup d'autres utilisations.

△ L'arrière d'un miroir est couvert de peinture argentée. C'est sur cette couche lisse que la lumière est réfléchie vers tes yeux.

◁ Peux-tu trouver d'autres surfaces brillantes ? Le métal brille, de même qu'un plat en porcelaine.

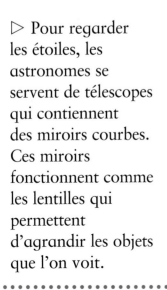

▷ Pour regarder les étoiles, les astronomes se servent de télescopes qui contiennent des miroirs courbes. Ces miroirs fonctionnent comme les lentilles qui permettent d'agrandir les objets que l'on voit.

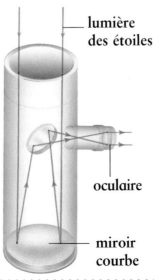

lumière des étoiles

oculaire

miroir courbe

△ Regarde ton reflet dans un miroir. Le miroir réfléchit ton image directement, et tout y est inversé. Essaie de comprendre comment cela se produit.

En savoir plus

Lasers
Lumière et lentilles

Moteurs

La plupart des machines fonctionnent grâce à un moteur. Dans une voiture, par exemple, c'est le moteur qui fait tourner les roues. Le moteur d'un bateau le propulse sur l'eau et celui d'un avion, dans l'air. Les moteurs consomment du carburant pour fonctionner. Ils transforment l'énergie du carburant en énergie mécanique.

△ Les moteurs d'une fusée dégagent un jet de gaz brûlant qui la propulse dans les airs.

Infos

• La puissance d'un moteur se mesure en chevaux. Ce mot était utilisé par les premiers ingénieurs, qui comparaient la puissance des moteurs à celle des chevaux.

Moteur à essence

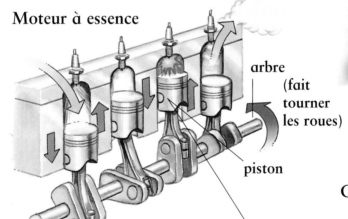

arbre (fait tourner les roues)

piston

△ Un moteur de voiture est composé de cylindres contenant des pistons. Un mélange d'air et d'essence pénètre dans le cylindre. La bougie fait une étincelle et le mélange explose, poussant le piston vers le bas. Les pistons montent et descendent en alternance et font tourner l'arbre qui entraîne les roues.

Gros plan d'un piston

bougie (produit l'étincelle)

explosion

piston

Locomotive à vapeur

◁ Cette vieille locomotive marche à la vapeur. De l'eau bouillie dans une grande chaudière fournit la vapeur qui pousse les pistons pour faire tourner les roues.

En savoir plus

Carburants
Eau
Énergie
Espace
Feu
Machines
Voler

Mouvement

Un objet ne peut pas se mettre en mouvement tout seul. Le mouvement ne peut être provoqué que par une force. Une fois qu'un objet est en mouvement, une force peut augmenter sa vitesse ; on dit que l'objet accélère. Une force peut aussi ralentir son mouvement ; on parle alors de décélération.

△ Cet athlète se sert de sa force pour envoyer le poids le plus loin possible. La gravité tire le poids vers le bas pendant sa course, et finit par le faire retomber au sol.

◁ 1 Un objet en mouvement a toujours tendance à rester en mouvement. Un objet au repos reste immobile. Cela s'appelle l'inertie. Voici une expérience insolite : fais tourner un œuf dans une assiette. Quand l'œuf tourne, son jaune tourne.

▷ 2 Si tu l'arrêtes d'un coup et que tu le lâches aussitôt, l'œuf se remet à tourner tout seul. C'est à cause de l'inertie du jaune, qui continue de tourner à l'intérieur, même quand tu as immobilisé la coquille.

1

2

Infos

• De tout temps les hommes ont essayé de fabriquer des machines en mouvement perpétuel. Aucune n'a marché car le frottement a toujours fini par les arrêter.

△ Plus une voiture roule vite, plus il lui faut de temps pour s'arrêter. C'est pourquoi il est important que les conducteurs ne roulent pas trop vite là où des gens peuvent traverser la route.

▷ Un objet en mouvement poursuit toujours sa route en ligne droite. Ce garçon fait tourner un poids au bout d'une ficelle. Le poids a besoin d'une force qui lui permette de garder un mouvement circulaire. Cette force provient de la ficelle. Sans elle, le poids partirait en ligne droite.

△ Il faut une force énorme pour mettre en mouvement les wagons de ce train. La locomotive exerce cette force pour les faire bouger. Plus un objet est lourd, plus il est difficile de le mettre en mouvement et de le ralentir.

▽ Une sauterelle est petite et légère. Ses pattes la propulsent avec une force très grande par rapport à sa taille, lui permettant d'accélérer très vite au moment où elle saute.

En savoir plus
Énergie
Force
Voler

Nombres

Tu te sers des nombres de diverses manières : pour compter, noter des mesures, faire des opérations… On s'en sert aussi pour distinguer des choses comme les maisons dans une rue ou les numéros de téléphone. Les nombres sont représentés par des symboles, appelés chiffres. Par exemple, le nombre 368 a trois chiffres : 3, 6 et 8.

△ Les nombres dont on se sert aujourd'hui ont été inventés en Inde il y a plus de 1 000 ans. Ce sont les marchands arabes qui les ont introduits en Europe.

▽ Chaque chiffre d'un nombre se rapporte à un groupe. Par exemple, dans 235, le 2 signifie deux centaines, le 3, trois dizaines, et le 5, cinq unités. C'est le système décimal, ou numération en base dix.

2 centaines

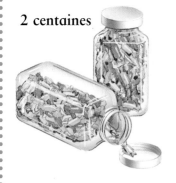

3 dizaines

5 unités

△ L'écriture des nombres varie d'un pays à l'autre et dans le temps. Les nombres européens du Moyen Âge étaient employés sur ce continent aux XIIe et XIIIe siècles. Les chiffres romains s'utilisent encore aujourd'hui.

Infos

• Avant l'invention des nombres, les gens faisaient des marques sur des bâtons ou des os pour compter. Parfois aussi ils empilaient des pierres pour tenir leurs comptes.

▷ Les ordinateurs calculent en système binaire (base deux). Seuls deux chiffres sont utilisés, le 0 (points blancs) et le 1 (points rouges). Tu vois ici comment s'écrivent les nombres de 0 à 8 dans ce système.

nombres binaires

En savoir plus

Calculatrices
Mathématiques
Mesures
Ordinateurs
Pendules

Ondes et vagues

Il y a différents types d'ondes. Celles que tu connais le mieux, ce sont les vagues de la mer. Les vagues qui traversent les océans ne déplacent pas l'eau. Elles ne font que la soulever et la laisser retomber. Les vagues sont provoquées par le vent qui souffle à la surface de l'eau. La lumière, le son et les signaux radio se propagent aussi sous forme d'ondes.

△ **1** Regarde les ondes se déplacer. Mets de l'eau dans une bassine et attends que la surface soit immobile. Lance une bille ou un caillou au milieu de la bassine.

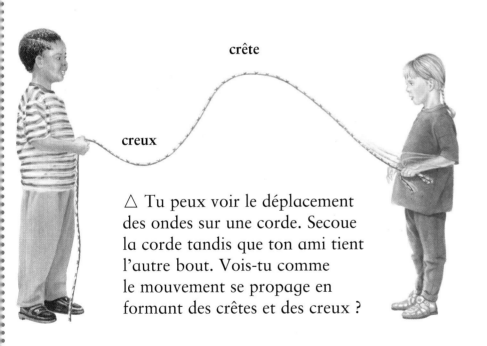

crête

creux

△ Tu peux voir le déplacement des ondes sur une corde. Secoue la corde tandis que ton ami tient l'autre bout. Vois-tu comme le mouvement se propage en formant des crêtes et des creux ?

△ **2** Vois-tu les ondes qui se propagent en cercles et qui rebondissent sur les parois de la bassine ?

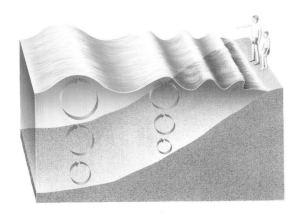

◁ Quand les vagues s'approchent de la plage, elles se resserrent et deviennent de plus en plus raides. En arrivant à la plage, elles cassent.

En savoir plus

Eau
Micro-ondes
Radio
Sons
Télévision

Ordinateurs

Un ordinateur est un appareil étonnant. Il peut faire des calculs, ranger et rechercher des informations. Il fonctionne grâce à des puces (de tout petits circuits électriques) qui font office de cerveau et de mémoire. Mais il ne peut pas penser tout seul : un être humain doit lui donner des instructions en plaçant un programme dans son disque dur.

△ Un CD-Rom est un disque qui contient des informations. L'ordinateur les traduit en mots, en images et en sons.

 ▷ Les lettres et les images que l'on voit sur l'écran d'un ordinateur sont faites de petits points de lumière colorée appelés pixels. Ce dessin te montre comment les pixels recomposent une image.

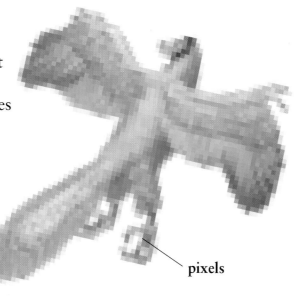

pixels

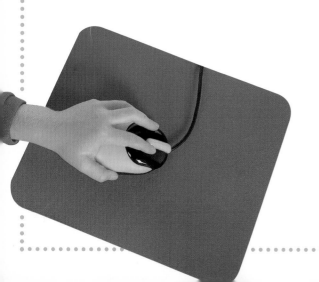

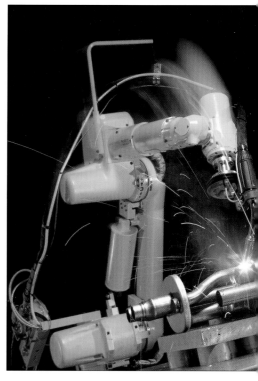

◁ Tu déplaces la souris pour désigner des objets sur l'écran, où un curseur suit chacun de tes mouvements.

△ Le robot ci-dessus monte des pièces dans une usine de voitures. Il est contrôlé par un ordinateur qui a été programmé pour lui donner des instructions.

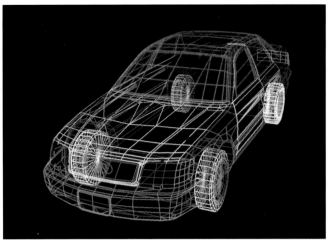

△ Les ingénieurs utilisent l'ordinateur pour dessiner des voitures. L'image sur l'écran montre l'aspect qu'aura la voiture une fois construite.

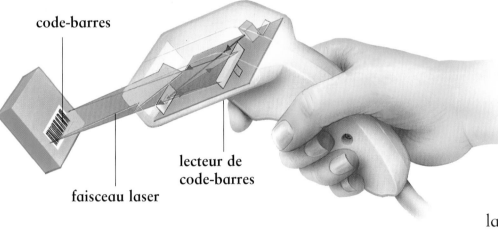

code-barres

lecteur de
code-barres

faisceau laser

◁ Un code-barres est une suite de lignes noires et blanches qui contiennent des informations codées sur l'objet qui le porte, comme son prix, par exemple. Un faisceau laser lit le code-barres et transmet les informations à un ordinateur... Tu en as sûrement déjà vus au supermarché.

◁ Grâce aux sons et aux images en trois dimensions, ce casque te permet d'entrer dans des mondes entièrement re-créés par ordinateur : la préhistoire, la Rome Antique... C'est ce qu'on appelle la réalité virtuelle.

En savoir plus

Calculatrices
Électricité
Mathématiques
Nombres
Technologie

Pendules

Pendules, horloges et montres servent à mesurer le temps. Elles comportent un mécanisme qui fonctionne à vitesse toujours égale. Dans les montres à pile, c'est un signal électrique régulier qui contrôle la vitesse des aiguilles ou des nombres qui s'affichent. Les vieilles horloges sont munies d'un pendule (ou balancier) qui oscille à vitesse régulière.

△ Les réveils et les montres ont des tailles et des formes diverses. Ils sont à pile ou à ressort. Les montres « digitales » affichent les chiffres sur un écran. Les autres ont un cadran et des aiguilles.

oscillation   oscillation

△ Un pendule est un poids suspendu à une corde ou à une tige. Toutes ses oscillations ont une durée identique.

▷ À l'intérieur de cette montre, il y a un ressort très tendu. En se détendant, il fait tourner les roues qui entraînent le mouvement des aiguilles. Les pièces sont si petites que les horlogers doivent se servir de pinces pour les réparer.

pinces

roues

◁ Cette vieille horloge possède un long balancier qui contrôle la vitesse de ses aiguilles.

◁ Avant les montres, on utilisait des cadrans solaires. Les heures sont indiquées sur le support. L'ombre de l'aiguille, qui tourne avec le soleil, indique l'heure.

En savoir plus

Énergie

Jour et nuit

Machines

Photographier

Quand tu photographies un objet, la lumière que celui-ci renvoie pénètre par l'objectif de ton appareil photo et marque la pellicule qui se trouve à l'intérieur. La lumière agit sur les produits chimiques de la pellicule et, quand on la développe (à l'aide d'autres produits chimiques), l'image apparaît.

1

△ **1** Essaie de fabriquer cet appareil simple, le sténopé, à l'aide d'une petite boîte. Retire le fond et le couvercle et colorie l'intérieur avec un feutre noir.

2

△ **2** Recouvre un côté avec du papier calque, l'autre avec un papier opaque et perce un petit trou au milieu de celui-ci.

▽ **3** Dirige ton appareil vers une fenêtre ou vers une lampe, de sorte que la lumière pénètre par le trou. Vois-tu une image renversée sur le calque ? Tu la verras mieux si tu mets une serviette sur ta tête et ton appareil pour te protéger de la lumière ambiante.

3

Appareil photo

déclencheur

viseur (par lequel tu regardes)

pellicule   obturateur

objectif

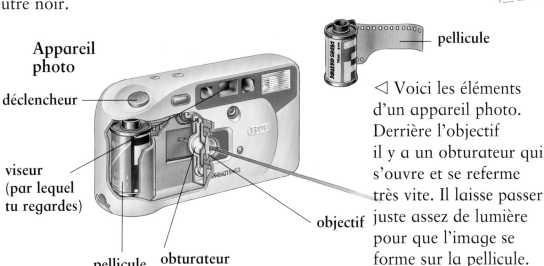

pellicule

◁ Voici les éléments d'un appareil photo. Derrière l'objectif il y a un obturateur qui s'ouvre et se referme très vite. Il laisse passer juste assez de lumière pour que l'image se forme sur la pellicule.

En savoir plus

Chimie et produits chimiques

Couleurs

Lumière et lentilles

Physique

La physique est l'étude du fonctionnement de tout ce qui existe. Les physiciens s'intéressent à des phénomènes tels que le mouvement des objets sous l'effet d'une force. Ils se penchent aussi sur la transformation de la matière, l'électricité, le comportement des atomes ou la composition de l'Univers.

△ Il y a 300 ans, Galilée a fait une découverte importante en lâchant divers objets du haut de la tour de Pise pour démontrer que ce qui est lourd ne tombe pas plus vite que ce qui est léger.

Électricité L'étude de l'énergie électrique.

Mécanique L'étude du mouvement.

mécanique

mécanique

acoustique

Optique L'étude de la lumière.

optique

énergétique

Énergétique L'étude de l'énergie sous toutes ses formes.

optique

électricité

Acoustique L'étude du son et de ses déplacements.

calorimétrie

Calorimétrie L'étude de la chaleur (froid ou chaud) et des changements d'état de la matière.

En savoir plus
Lumière et lentilles
Transformation de la matière
Mouvement

76

Pression

Quand tu appuies sur quelque chose, tu exerces une pression. La pression se mesure en quantité de force portée sur une surface donnée. Si la force intervient sur une zone large, il y a moins de pression que si la même force s'exerce sur une petite zone. Les liquides et les gaz exercent une pression : la pression qui existe au fond de la mer est due à l'énorme quantité d'eau qui pèse depuis la surface.

△ Cette pompe envoie de l'air dans le ballon. Comme la pression devient plus forte à l'intérieur qu'à l'extérieur, le ballon gonfle.

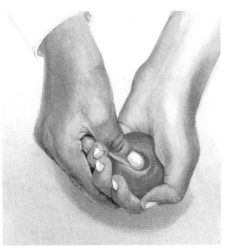

◁ 1 Écrase de la pâte à modeler avec ton pouce. Tu dois appuyer fort.

▽ La pression dans les tuyaux fait sortir l'eau des robinets ou de la douche. Si tu mets tes doigts sur les trous de la douche, tu peux sentir la pression exercée par l'eau.

△ Les larges pneus de ce buggy répartissent son poids sur une plus grande surface, ce qui diminue la pression exercée sur le sol et empêche les roues de s'enfoncer dans la terre.

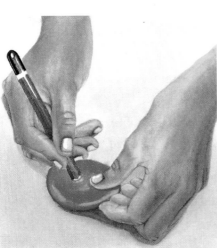

△ 2 Appuie avec un crayon dans la pâte à modeler. C'est plus facile car la pression de la pointe est plus forte.

En savoir plus

Air et atmosphère

Force

Gaz

Solides

Radio

La radio est un moyen d'envoyer des messages à distance. Les sons se transmettent sous forme d'ondes dans l'air ou dans l'espace, d'un endroit à l'autre. Ces ondes sont invisibles. Les ondes radio permettent aussi d'envoyer des signaux à partir de stations de radio ou de télévision, et des messages d'un téléphone mobile à un autre.

△ L'antenne d'un poste de radio capte les ondes qui viennent d'un émetteur. Le poste les transforme ensuite en sons que tu entends.

◁ Dans une station radio, la musique et les autres sons sont transformés en signaux électriques. Ceux-ci passent par un émetteur, qui les transforme en ondes radio.

▷ Le talkie-walkie transforme le son de ta voix en ondes radio. Les ondes se transmettent à un autre talkie-walkie qui reconstitue le son d'origine.

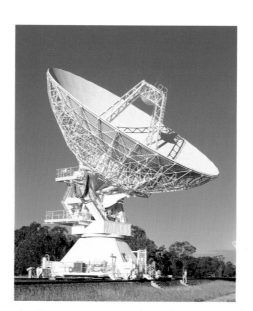

△ Ceci est un radiotélescope. Il capte les ondes radio de l'espace. Les astronomes étudient ces ondes pour avoir des informations sur l'Univers qu'ils ne pourraient pas obtenir avec un télescope ordinaire.

En savoir plus
Électricité
Micro-ondes
Son
Téléphones

Rayons X

Les rayons X sont des ondes, comme les micro-ondes et les ondes lumineuses. Ils traversent la chair, mais pas les os. Ils sont utilisés dans les hôpitaux, en radiographie, pour voir par exemple si un os est fracturé. L'os apparaît en clair sur un fond sombre.

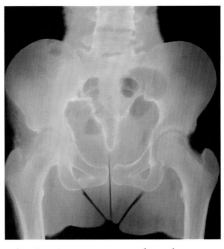

△ Ceci est une radio du bassin d'un enfant. On l'a faite pour vérifier qu'aucun os n'était fracturé.

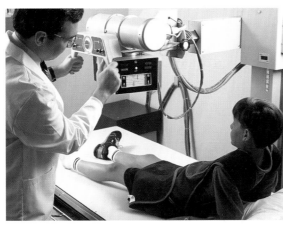

▷ Cet appareil de radiographie va envoyer des rayons X à travers la jambe du patient. L'image est recueillie sur une plaque radiographique.

▽ Dans les aéroports, on se sert des rayons X pour vérifier le contenu des bagages. Quand les sacs passent dans l'appareil, l'écran montre ce qu'ils contiennent.

À petite dose, les rayons X ne sont pas nocifs. Mais en recevoir beaucoup peut être dangereux. Les gens qui travaillent avec ces rayons se protègent derrière un écran.

◁ Dans l'Antiquité, les Égyptiens entouraient de bandages le corps des défunts pour les conserver. Aujourd'hui, les scientifiques se servent des rayons X pour voir l'intérieur de ces momies.

En savoir plus
Atomes
Énergie nucléaire
Micro-ondes
Radio
Univers

Reproduction

Les plantes produisent des graines qui deviennent de nouvelles plantes. Les animaux font des petits qui deviennent adultes. C'est la reproduction. La nouvelle plante ou le nouvel animal vivra après la mort de ses parents. En général, pour la reproduction des plantes et des animaux, il faut un mâle et une femelle.

△ Pour produire une graine, le pollen de la fleur mâle doit s'unir à l'ovaire de la fleur femelle. Certaines plantes ont des fleurs à la fois mâles et femelles. D'autres ont besoin d'un insecte pour porter le pollen d'une fleur à l'autre. La forme de cette fleur attire les abeilles vers son pollen.

Infos

- Certains poissons pondent des millions d'œufs à la fois. Cela assure la survie d'au moins quelques-uns.
- Les baleines bleues ont les plus gros bébés du monde : ils pèsent 5 tonnes.

▷ Ce poulain tète le lait de sa mère. Ce lait contient tout ce dont il a besoin pour grandir en bonne santé. Le cheval est un mammifère. Tous les mammifères femelles produisent du lait pour leurs nouveau-nés.

amibe

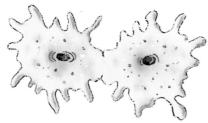

△ Certains êtres vivants sont très petits et très simples. Ils sont faits d'une seule cellule. Pour se reproduire, ils se séparent en deux.

bébé dans le ventre de sa mère

◁ Avant de naître, tu as passé neuf mois dans le ventre de ta maman. Tu as grandi à partir de deux petites cellules : un ovule de ta mère et un spermatozoïde de ton père.

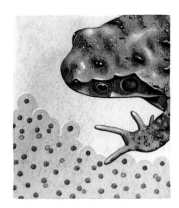

△ Les amphibiens se reproduisent dans l'eau. La grenouille femelle pond des centaines d'œufs dans l'eau. Puis le mâle les fertilise en y ajoutant son sperme.

△ Les têtards se forment dans l'œuf avant d'éclore. Ils ne ressemblent pas encore à une grenouille, mais plutôt à un poisson.

△ Peu à peu, ils perdent leur queue et leurs pattes poussent.

△ Cette jeune grenouille est enfin prête à sortir de l'eau.

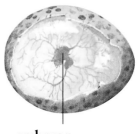

◁ 1 Les oiseaux femelles pondent des œufs. La coquille sert à protéger le bébé, et le jaune de l'œuf constitue sa réserve de nourriture.

embryon (l'oiseau en formation)

▽ Voici une graine en germination. La racine apparaît d'abord, puis une pousse, et les feuilles.

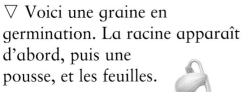

▷ 2 La maman couve son œuf pour maintenir au chaud le bébé qui est dedans.

oisillon en développement

▷ 3 Enfin, le bébé est prêt à éclore. Il brise la coquille avec son bec et se glisse dehors.

jeune oisillon

En savoir plus

Corps humain
Eau
Êtres vivants
Voler

Saisons

Les différentes parties de la Terre ont des saisons au cours de l'année. Le temps change en fonction de la saison. Certains endroits ont une saison chaude, appelée l'été, et une froide, l'hiver. Entre les deux, il y a l'automne et le printemps. À d'autres endroits, il peut faire chaud toute l'année, mais il y a une saison sèche et une saison des pluies.

▷ À la fin de l'été, l'automne commence. Le temps refroidit et les jours raccourcissent. Les arbres perdent leurs feuilles. Certains oiseaux émigrent vers des régions plus chaudes. D'autres animaux, comme les ours, hibernent jusqu'au printemps.

△ Au printemps, le temps devient plus clément après les mois d'hiver. Peu à peu les jours rallongent. Les graines commencent à germer et de nouvelles feuilles poussent sur les arbres. Les fleurs de printemps s'épanouissent et des bébés animaux naissent.

axe d'inclinaison de la Terre

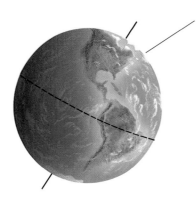

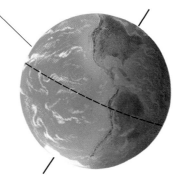

△ La Terre est inclinée. Quand la moitié nord penche vers le Soleil, c'est l'été. Les jours sont longs et les nuits courtes. Pendant ce temps, c'est l'hiver dans l'hémisphère Sud. Les jours sont courts et les nuits longues.

△ Ici, la moitié sud de la Terre penche vers le Soleil et c'est l'été dans l'hémisphère Sud. Les jours y sont longs et les nuits courtes. C'est l'hiver dans l'hémisphère Nord, avec des jours courts et de longues nuits.

En savoir plus

Jour et nuit
Système solaire
Temps
Terre

Satellites

Un satellite est un objet qui se trouve dans l'espace en orbite autour d'une planète. La Lune est un satellite naturel qui tourne autour de la Terre depuis des milliers d'années. En orbite autour de la Terre, il y a aussi des satellites fabriqués par l'homme et qui ont été lancés à l'aide d'une fusée. Certains observent le temps pour la météo, d'autres sont utilisés pour les télécommunications, d'autres servent à étudier l'espace.

▽ Ce satellite cherche des rayons cosmiques. Ses panneaux solaires transforment la lumière en électricité, dont il a besoin pour fonctionner. Son antenne envoie des informations à la Terre. Il est aussi muni de petites fusées qui lui permettent de pointer dans toutes les directions.

détecteur de radiations

antenne

panneaux solaires

▷ Un satellite de télécommunications transmet les messages téléphoniques à l'autre bout du monde. Un message est lancé depuis la Terre au satellite, qui le renvoie vers un destinataire qui peut être à des milliers de kilomètres de l'envoyeur.

signaux

◁ Le télescope Hubble est un satellite qui photographie des objets très lointains dans l'espace et renvoie les images sur la Terre. Ce dessin représente la navette spatiale en train de mettre le télescope en orbite autour de la Terre.

En savoir plus
Énergie
Espace
Radio
Système solaire
Téléphones
Temps
Univers

Sens

Comment sais-tu ce qui se passe autour de toi ? Comment fais-tu pour connaître l'odeur et le goût des choses ? C'est simple, tu te sers de tes sens. Les humains ont cinq sens : la vue, l'ouïe, le toucher, le goût et l'odorat. Les sens peuvent fonctionner en même temps. Par exemple, quand tu manges, tu sens, tu goûtes et tu vois ta nourriture.

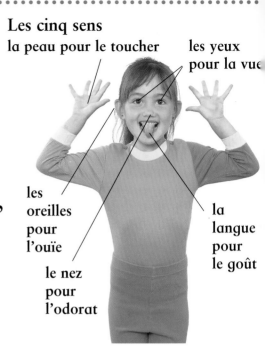

Les cinq sens
la peau pour le toucher
les yeux pour la vue
les oreilles pour l'ouïe
la langue pour le goût
le nez pour l'odorat

▷ **1** Teste le sens du toucher d'un de tes amis. Découpe un trou dans une boîte en carton, assez grand pour que ton ami puisse y passer le bras. Mets quelques objets dans la boîte, l'un après l'autre.

△ Les organes des sens captent le goût, l'odeur, la texture, l'image et le son. Ils envoient des messages à propos de tout cela, à travers tes nerfs, jusqu'à ton cerveau. Ton cerveau décode les messages et t'informe sur ce qui se passe autour de toi.

Infos

• Les sens ne fonctionnent pas toujours de la même manière. Par exemple, il y a des gens qui ne distinguent pas le vert du rouge. Dans leurs yeux, les cellules sensibles à la lumière réagissent différemment.

△ **2** Ton ami ne doit pas voir les objets. Peut-il deviner de quoi il s'agit, rien qu'en les touchant ?

△ Vois-tu la ligne de petits points sur le flanc de ce poisson ? Ces points agissent comme des yeux supplémentaires et détectent le mouvement des animaux qui s'approchent. Ils l'aident à trouver de la nourriture et à échapper à ses ennemis.

▷ Cette chauve-souris se sert de son ouïe excellente pour trouver sa nourriture dans l'obscurité. En volant, elle émet de petits sons qui se répercutent sur les objets. L'écho que les objets lui renvoient permet à la chauve-souris de les identifier comme si elle les voyait.

▽ Un garçon crève un ballon, l'autre indique d'où vient le son. Le son est plus fort dans l'une de ses oreilles, ce qui lui permet de repérer de quel côté provient le bruit.

△ Les chiens ont un meilleur sens de l'odorat que les humains. Ce chien a appris à se servir de son flair pour détecter des explosifs.

△ Cette personne a perdu l'usage de la vue. Son chien doit l'aider à trouver son chemin.

En savoir plus

Couleurs
Corps humain
Lumière
et lentilles
Sons

Solides

L'état solide est l'un des trois états de la matière. Les deux autres sont le liquide et le gaz. Un solide a une forme constante. Il n'est pas fluide comme un liquide ou un gaz, car ses atomes sont bien accrochés les uns aux autres et ne peuvent presque pas se déplacer.

△ Dans certains solides, les atomes s'organisent en rangées bien nettes. Ce genre de solide s'appelle un cristal.

◁ **1** Voici comment obtenir des cristaux de sucre : verse du sucre dans de l'eau chaude jusqu'à ce qu'il ne puisse plus se dissoudre.

▷ **2** Verse ce liquide dans une assiette et laisse-le dans un endroit chaud pour que l'eau s'évapore. Vois-tu les cristaux se former ?

△ Ces objets sont des solides mais ne sont pas des cristaux. Même si leurs atomes ne sont pas disposés en rangées, ils ne peuvent pas se déplacer.

▽ Certains solides sont plus souples que d'autres. La mine de crayon est en graphite. Elle s'étale facilement sur le papier quand tu écris.

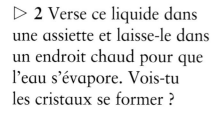

△ Le diamant et le graphite sont faits de carbone, mais leurs atomes sont ordonnés différemment. Le diamant est très dur. On s'en sert en bijouterie et aussi pour fabriquer des outils très coupants.

En savoir plus

Atomes
Gaz
Liquides
Matériaux

Sons

Le son est fait de vibrations. Quand tu parles, tu fais vibrer l'air autour de toi. Ces vibrations se propagent. Les oreilles qui peuvent les capter entendent ta voix. Le son peut se propager dans un solide ou un liquide aussi bien que dans l'air ou un autre gaz.

▽ Pour voir les vibrations du son, recouvre un pot en plastique d'un morceau de ballon, puis attache-le avec un élastique. Verse un peu de sel dessus et parle tout près. Les vibrations font sauter les grains de sel.

Puissance sonore

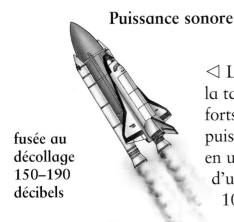

◁ La puissance d'un son dépend de la taille de ses vibrations. Les sons forts ont des vibrations amples. La puissance relative des sons se mesure en unités appelées décibels. Le bruit d'un marteau-piqueur est d'environ 100 décibels.

fusée au décollage
150–190 décibels

moto
70–90 décibels

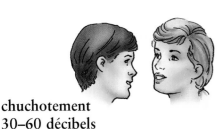

chuchotement
30–60 décibels

bruissement des feuilles
20 décibels

△ Ce marteau-piqueur est extrêmement bruyant. Des sons aussi forts sont nocifs pour l'oreille. Pour se protéger du bruit, les ouvriers des chantiers doivent se couvrir les oreilles.

▽ Quand un son se propage, les molécules de l'air se rassemblent, puis s'éloignent, se rassemblent encore et ainsi de suite, formant des ondes.

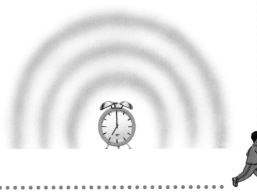

Un son peut être aigu ou grave. La hauteur du son dépend de sa fréquence (le nombre de vibrations par seconde).

▷ Fais cette expérience pour produire des sons graves et aigus. Verse de l'eau dans des pots. Les niveaux d'eau doivent être différents. Tape dessus avec un stylo. Lequel des pots produit le son le plus aigu ?

▷ Le sonar est un appareil qui utilise le son pour localiser des objets sous l'eau. Un bateau envoie un son (un « bip ») dans l'eau. Quand il frappe un objet, le son est renvoyé en écho. Plus les objets sont éloignés, plus l'écho met de temps à revenir jusqu'au bateau.

« bip »

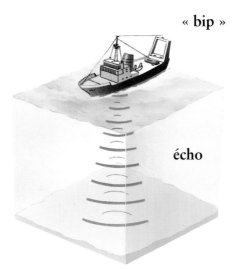

écho

Infos

• Une fusée qui décolle produit un son un million de fois plus fort que le tonnerre.
• Certains animaux peuvent entendre des sons trop aigus ou trop graves pour l'oreille humaine.

◁ Certains dauphins émettent des sons et guettent le retour de l'écho. Cela leur permet de s'orienter en eau trouble. Ils fonctionnent comme un sonar. Quelques espèces de baleines communiquent entre elles par le son. Les bruits qu'elles produisent peuvent porter à des centaines de kilomètres dans l'océan.

▷ Ce cor est formé d'un long tube qui s'ouvre en entonnoir. Il produit un son quand le musicien souffle dedans, faisant vibrer l'air à l'intérieur. L'entonnoir propage le son à l'extérieur et on peut ainsi l'entendre. Connais-tu d'autres instruments à vent ?

△ Le violoncelle est un instrument à cordes. Il produit des sons quand le musicien fait vibrer les cordes en les frottant avec son archet. Les guitares et les violons sont aussi des instruments à cordes.

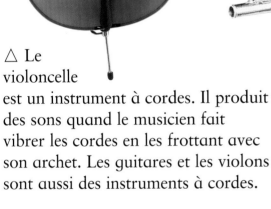

△ Cette fille joue de la flûte. Le garçon joue du pipeau. Ce sont des instruments à vent. Comme les cuivres (par exemple le cor), ils produisent des sons quand on souffle dedans en faisant vibrer l'air dans le tube.

◁ Cette petite fille joue du clavier électronique. Ces claviers sont souvent appelés synthétiseurs. Ils diffusent le son par des haut-parleurs. Chaque touche produit une note de hauteur différente.

En savoir plus

Énergie

Physique

Sens

Système solaire

Le système solaire est composé du Soleil et des neuf planètes qui tournent en orbite autour de lui. L'une de ces planètes est la Terre. Certaines planètes ont des lunes en orbite autour d'elles. Le système solaire comprend aussi des comètes et des astéroïdes. Il semble que la Terre soit le seul endroit du système solaire où la vie est possible.

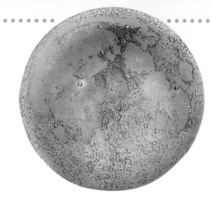

△ La Terre possède une lune, qui se trouve à environ 400 000 km de distance. Son diamètre n'est que le quart de celui de la Terre.

 Ne regarde jamais le Soleil en face, ni avec des lunettes, et surtout pas avec des jumelles !

◁ Regarde la Lune avec des jumelles. Vois-tu les cratères à sa surface ?

Le système solaire est immense. Si le Soleil avait la taille d'un ballon de football, la Terre aurait celle d'une tête d'épingle à 25 mètres de lui, et Pluton serait à plus d'un kilomètre.

▷ Jupiter et Saturne sont énormes. Elles sont faites de gaz et de liquide. Jupiter est la plus grande de toutes les planètes. Elle pourrait contenir les autres.

▽ Mercure, Vénus, la Terre et Mars sont de petites planètes rocheuses. La plus proche du Soleil est Mercure.

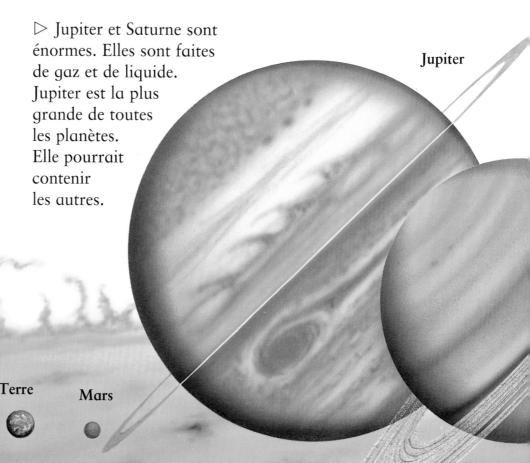

Jupiter

Mercure

Vénus

Terre

Mars

▽ Voici la sonde spatiale *Voyager 2*. Elle a été lancée de la Terre, en 1977, pour aller explorer l'espace. Elle est arrivée sur Neptune en 1989. Les scientifiques ont beaucoup appris sur les planètes grâce à elle et à d'autres sondes du même genre.

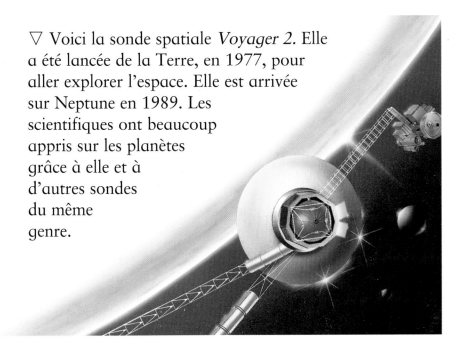

Infos

• La Terre met 365 jours (un an) pour faire un tour autour du Soleil. Les planètes plus lointaines mettent plus longtemps, leurs années sont plus longues. Une année de Pluton vaut 248 années terrestres. Celle de Mercure vaut 88 jours.

▷ La nuit, avec un peu de chance, tu peux voir des étoiles filantes dans le ciel. Ce sont des météores qui brûlent en pénétrant dans l'atmosphère terrestre.

Saturne

◁ Certaines planètes sont entourées d'anneaux. Jupiter et Neptune ont des anneaux faits de poussière, pour Uranus ce sont des roches. Saturne est celle qui en a le plus ; ils sont constitués de millions de morceaux de glace.

▽ Pluton est la planète la plus éloignée du Soleil. Elle est plus petite que la Lune.

Uranus

Neptune

• Pluton

En savoir plus

Espace
Satellites
Terre
Univers

Technologie

La technologie désigne à la fois les outils, les machines, ainsi que leur conception et leur utilisation. Les ordinateurs, les voitures, les ouvre-boîtes, les caméras sont des exemples de technologie. La technologie est présente à la maison, à l'école, au travail, dans les déplacements. Elle permet de faire beaucoup de choses plus vite et plus facilement. Elle peut être très simple ou très compliquée.

△ La technologie informatique peut aider les personnes handicapées. Si quelqu'un a perdu l'usage de ses mains, l'ordinateur écrit sous sa dictée.

△ Tu peux voir sur l'image plusieurs formes de technologie dans une maison. Il y a la télévision, la radio, le téléphone, le magnétoscope et l'ordinateur.
Quels exemples de technologie trouves-tu chez toi ?

▷ La technologie du bâtiment sert à concevoir des maisons, des tunnels, des barrages et des ponts. Choisir les bons matériaux et prévoir leur résistance et leur sécurité tiennent une grande place dans cette technologie. Voici le Bay Bridge, à San Francisco (États-Unis).

◁ La technologie moderne a commencé vers la fin du XVIIIe siècle. Cette locomotive à vapeur, la *Adler,* ouvrit le premier chemin de fer public allemand, en 1835. Ces premières machines roulaient jusqu'à 50 ou 60 kilomètres/heure, ce qui semblait alors très rapide.

▷ Ces gens vivaient il y a plusieurs milliers d'années. Leurs maisons étaient en argile, en bois et en paille. Ils utilisaient une technologie simple, adaptée à ces matériaux. Dans certaines parties du monde, on construit encore des maisons de cette façon.

◁ Cette machine est un chadouf, utilisé en Égypte et au Moyen-Orient pour puiser l'eau des rivières et arroser les champs. On s'en sert depuis 3 000 ans. Sa forme n'a guère changé car elle fonctionne bien et elle est facile à entretenir.

En savoir plus

Calculatrices

Inventions et découvertes

Machines

Moteurs

Ordinateurs

Téléphones

Que fais-tu quand tu veux parler à un ami qui habite à l'autre bout du quartier, dans une autre ville ou dans un autre pays ? Tu décroches ton téléphone, qui est relié aux autres appareils par le réseau téléphonique. Chacun a son propre numéro de téléphone. Quand tu composes le numéro de ton ami, ton téléphone entre en contact avec le réseau, qui conduit ton appel jusqu'à son téléphone.

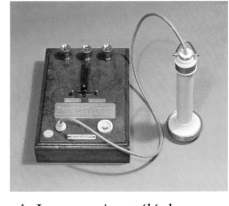

△ Les premiers téléphones n'avaient ni touches ni cadran. Il fallait demander le numéro voulu à un opérateur.

▷ Voici l'intérieur d'un combiné téléphonique. Quand on parle devant le microphone, celui-ci transforme les sons en signaux électriques, qui se déplacent sur la ligne jusqu'à un autre appareil téléphonique. Là, l'écouteur restitue les sons d'origine.

écouteur

microphone

1

△ **1** Fabrique un téléphone avec deux pots de yaourt et une ficelle. Perce un petit trou au fond de chaque pot. Demande de l'aide à un adulte.

Infos
• Le téléphone a été inventé en 1876, aux États-Unis, par Alexander Graham Bell, un professeur et ingénieur écossais.

▷ **2** Passe la ficelle par l'un des trous et fais un nœud pour la fixer. Fais la même chose avec l'autre pot et l'autre extrémité de la ficelle. Vérifie que les nœuds tiennent bien.

2

l'un tient le pot contre son oreille

▷ Le téléphone est relié à un poste central, lui-même relié à d'autres au moyen de câbles, de la radio et parfois d'un satellite. Tout cela constitue le réseau téléphonique.

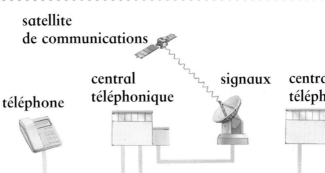

satellite de communications

téléphone   central téléphonique   signaux   central téléphonique

téléphone

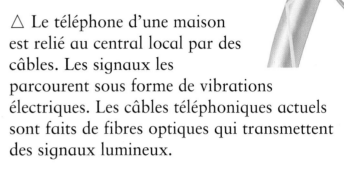

△ Le téléphone d'une maison est relié au central local par des câbles. Les signaux les parcourent sous forme de vibrations électriques. Les câbles téléphoniques actuels sont faits de fibres optiques qui transmettent des signaux lumineux.

△ Les fax, ou télécopieurs, sont connectés aux lignes téléphoniques, comme tous les téléphones. Ce fax contient un scanner qui transforme les mots et les images en signaux électriques, envoyés vers un autre appareil.

△ L'autre fax décode les signaux et restitue les mots et les images d'origine, qu'il imprime sur une feuille.

l'autre parle dans le pot

3

la ficelle doit être bien tendue.

◁ 3 Les vibrations de ta voix se déplacent le long de la ficelle et font vibrer l'autre pot. Ton ami entend ces vibrations et reconnaît ta voix.

En savoir plus

Électricité

Inventions et découvertes

Satellites

Sons

Télévision

Quelles sont tes émissions de télévision préférées ? Pour réaliser une émission, une caméra doit filmer. Les images passent de la caméra à une station de télévision, puis à son émetteur, qui t'envoie ton programme par des câbles et des ondes radio.

La télévision par satellite voyage sous forme de micro-ondes.

△ Les images sur ces écrans proviennent de caméras de sécurité. Un responsable les surveille. C'est ce qu'on appelle une télévision en circuit fermé.

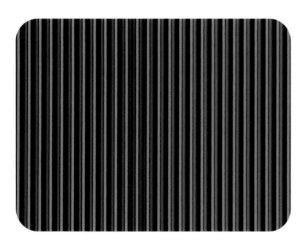

△ Cette image est un gros plan d'écran de télévision. On y voit des bandes de couleur rouge, verte et bleue. Les images de la télévision sont faites avec ces trois couleurs.

△ Cette caméra enregistre un événement sportif. Le cadreur voit l'image qu'il est en train de filmer sur un petit écran de télévision.

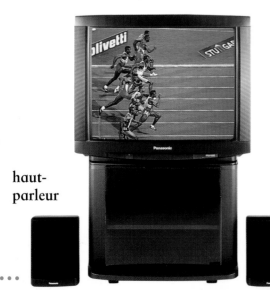

écran

haut-parleur

◁ Le poste de télévision transforme les signaux venant de la station en images que l'on voit sur l'écran. Le son est restitué par les haut-parleurs.

En savoir plus

Couleurs
Électricité
Lumière
Micro-ondes
Radio
Vidéo

Temps

Quel temps fait-il aujourd'hui ? Ensoleillé ou nuageux ? Il pleut ? Le vent souffle ? Le temps dépend à la fois du Soleil, de l'atmosphère et de la rotation de la Terre. Le climat d'une région, c'est le temps qu'il y fait habituellement au cours d'une année.

▽ **1** Sais-tu comment se forment les nuages ? Cette expérience va te le montrer. Verse de l'eau chaude au fond d'un grand pot. Tu ne la vois pas, mais de la vapeur se dégage. Couvre le pot d'un plateau métallique rempli de glaçons.

△ **2** La vapeur rencontre l'air froid près du plateau. Elle se transforme en millions de gouttelettes. Les nuages, ce sont ces gouttelettes qui se forment quand la vapeur refroidit.

△ Le climat varie selon les régions. Cette image montre un lieu où il fait chaud toute l'année. On dit que c'est un climat tropical. Quand il fait chaud l'été et froid l'hiver, on dit que c'est un climat tempéré. Le climat polaire reste froid pendant toute l'année.

▷ Les satellites dans l'espace prennent des photos de la Terre. Elles indiquent aux météorologues le mouvement des nuages et des tempêtes. Ils peuvent ainsi prévoir le temps qu'il fera les jours suivants.

▽ Dans de nombreux pays tropicaux, il pleut très fort pendant plusieurs mois. Ces pluies assurent de bonnes récoltes aux agriculteurs.

△ Les tempêtes s'accompagnent souvent de vents violents et de fortes pluies, qui peuvent endommager les maisons et les champs. Le vent peut même arracher des arbres et des toitures. En mer, il fait naître d'immenses vagues. Les rivières en crue peuvent emporter arbres et maisons.

▷ Une tornade est une colonne d'air tourbillonnant qui se déplace très vite en soufflant tout sur son passage.

▽ Il existe diverses formes et tailles de nuages. Chacune nous renseigne sur le temps à venir. Par exemple, les cumulus annoncent de fortes pluies.

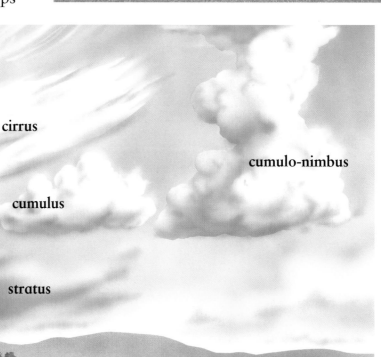

cirrus

cumulo-nimbus

cumulus

stratus

En savoir plus
Air
et atmosphère
Eau
Environnement
Terre

Terre

La Terre est notre planète. Elle est née, il y a 4,5 milliards d'années, d'un nuage de poussières, de roches et de gaz. Durant des millions d'années, volcans, séismes, vent et pluie ont modelé sa surface. Les chercheurs pensent que c'est la seule planète du système solaire où peuvent exister des êtres vivants.

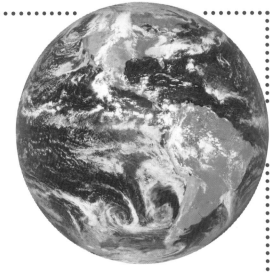

△ Les deux tiers de la Terre sont recouverts d'océans. Une couche d'air entoure notre planète : c'est l'atmosphère.

▽ La Terre est une boule de roche géante. Sous la surface, la roche est si chaude qu'elle est en partie fondue et liquide. À l'extérieur, elle forme une croûte épaisse.

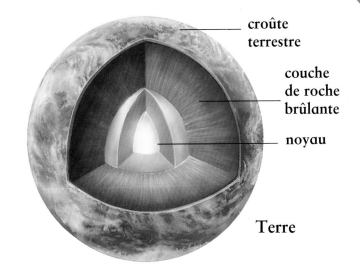

croûte
terrestre

couche
de roche
brûlante

noyau

Terre

▷ On pense qu'il y a des millions d'années les terres constituaient un immense continent. Celui-ci s'est peu à peu divisé pour former les continents actuels, encore en léger mouvement. Dans des millions d'années, la surface de la Terre aura un aspect très différent de celui d'aujourd'hui.

▽ La croûte terrestre est formée d'énormes plaques qui bougent très lentement. Parfois elles entrent en collision et se froissent. Quand cela se produit, une montagne apparaît.

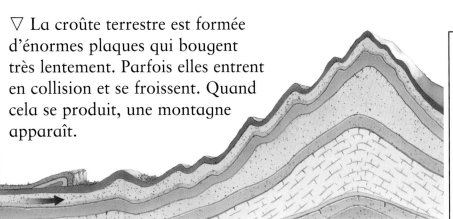

Infos
• Autrefois, on pensait que la Terre était plate et qu'on pouvait tomber du bord.

En savoir plus
Air
et atmosphère
Eau
Jour et nuit
Système solaire
Temps
Volcans

Transformation de la matière

Quand un solide devient liquide, on dit qu'il fond. Pour qu'un liquide se change en gaz, on le fait bouillir. Ce sont des transformations de la matière. Elles changent l'état d'une substance en un autre état. Pour faire fondre ou bouillir une substance, il faut la chauffer. À l'inverse, un gaz qui refroidit peut se condenser et devenir liquide, et un liquide peut devenir solide quand il gèle.

△ Qu'arrive-t-il quand tu ne manges pas assez vite ton esquimau ? Il fond dans l'air chaud. La glace solide devient liquide.

Attention !
Ne touche
jamais
un liquide
bouillant.
Tu peux
te brûler
gravement.

△ Ce flacon contient de l'azote à l'état liquide. L'azote est un gaz, mais en refroidissant il se condense et devient liquide. Sur l'image, tu peux le voir redevenir un gaz dans l'air ambiant, qui est plus chaud.

△ Quand on chauffe de l'eau, sa température augmente jusqu'à 100 °C. Elle commence alors à bouillir et se change peu à peu en un gaz que l'on appelle vapeur d'eau.

◁ Vois comme un gaz devient liquide quand il refroidit. Respire contre un miroir. La vapeur de ton souffle refroidit en touchant la surface du miroir et se transforme en liquide (gouttes d'eau).

En savoir plus
Énergie
Froid et chaud
Gaz
Liquides
Solides

Univers

L'Univers, c'est tout ce qui existe : la Terre et ce qui s'y trouve, la Lune et les planètes, le Soleil et les milliards d'étoiles. Pour les scientifiques, l'Univers s'est formé il y a des milliards d'années à partir d'une immense explosion, appelée le big bang. Les gaz dégagés ont donné naissance aux étoiles, aux galaxies et aux planètes, la Terre y compris.

▽ Les étoiles ne brillent pas éternellement. Au bout de quelques milliards d'années, elles s'éteignent. Certaines deviennent rouges et énormes, puis explosent. À droite, c'est l'explosion d'une supernova.

◁ Les étoiles de l'Univers sont regroupées dans d'énormes galaxies. Il y en a des milliards, de différentes formes, rondes, allongées ou en spirale.

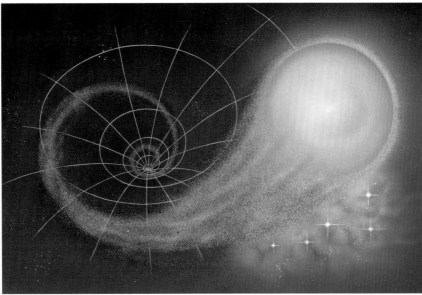

△ Notre système solaire se trouve dans une galaxie en spirale, la Voie lactée. Les étoiles qu'on voit la nuit en font partie.

△ Les astronomes ont trouvé dans l'espace d'étranges objets, appelés des trous noirs, où la gravité est si forte que la lumière n'arrive pas à s'en échapper. L'image montre de la poussière et des gaz attirés et absorbés par un trou noir.

Les noms donnés jadis aux constellations (groupes d'étoiles) correspondaient à des dieux, à des animaux ou à des personnages.

◁△ Ces deux constellations s'appellent le Scorpion (à gauche) et le Lion (en haut).

▽ Cette constellation est la Grande Ourse, appelée aussi le Grand Chariot ou la Grande Casserole. Vois-tu pourquoi ?

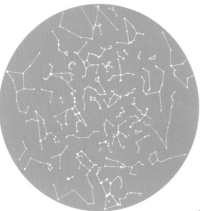

hémisphère nord

◁ Observe une carte du ciel. Puis, lors d'une nuit étoilée, cherche à identifier quelques constellations.

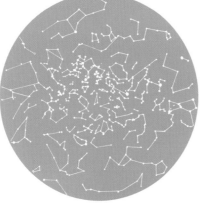

hémisphère sud

△ Cette constellation n'est visible que de l'hémisphère Sud. On l'appelle la Croix du Sud car ses étoiles sont regroupées en forme de croix.

▷ À l'intérieur de ce dôme se trouve un télescope géant. Il est situé sur une montagne très haute, car au-dessus des nuages le ciel est dégagé et les astronomes voient mieux les étoiles et les planètes.

En savoir plus

Espace
Jour et nuit
Système solaire

Vidéo

La vidéo est un moyen d'enregistrer des films sur une bande magnétique semblable à celle d'une cassette de musique. Avec une caméra vidéo, tu peux filmer puis visionner tes images sur un écran de télévision, par un magnétoscope ou en y branchant la caméra.

▽ Désormais les caméras vidéo enregistrent aussi le son. Par le viseur, tu peux voir ce que tu filmes.

objectif

viseur

▷ Les images sont converties en signaux électroniques, qui s'enregistrent sur la bande.

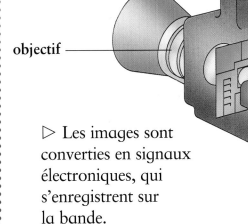

◁ Un magnétoscope sert à enregistrer des émissions de télévision pour les regarder plus tard, ou à lire des cassettes vidéo de films et de dessins animés.

◁ Les images animées d'un ordinateur sont aussi des vidéos. C'est pourquoi les jeux sur ordinateur s'appellent des jeux vidéo.

En savoir plus
Caméra
Électricité
Enregistrer
Télévision

103

Volcans

Dans les profondeurs de la Terre, sous la croûte terrestre, il y a de la roche fondue qu'on appelle magma. Quand la pression devient trop forte, le magma monte à la surface en crevant la croûte terrestre. Un volcan naît. À la surface, le magma prend le nom de lave. Les volcans en éruption projettent des gaz, des poussières et de la lave.

△ Ces énormes jets d'eau chaude et de vapeur sont des geysers. On les trouve souvent près des volcans. L'eau est chauffée par les roches brûlantes du sous-sol et jaillit à la surface par des fissures dans la croûte terrestre.

△ **1** Fais un volcan miniature. Mets deux cuillerées de bicarbonate de soude dans une salière. Autour, pétris un volcan en pâte à modeler.

△ **2** Verse 100 ml de vinaigre dans la salière et observe l'éruption de ton volcan. Pour colorer la lave, ajoute au vinaigre un colorant de cuisine.

▽ Lors d'une éruption, la roche en fusion monte par des conduits souterrains et se déverse par le haut du volcan. Quand la lave refroidit, elle forme une montagne en icône.

△ Le trou en haut du volcan s'appelle le cratère. Certains volcans crachent toujours de la fumée par leur cratère.

En savoir plus

Carburants

Énergie

Terre

Transformation de la matière

Voler

Pour voler, tout objet a besoin d'une force capable de le maintenir en l'air. Cette force s'appelle la portance. Sans elle, une autre force, la gravité, l'attirerait aussitôt vers le sol. Les avions, les oiseaux et les insectes ont tous des ailes. Quand ils volent, les ailes s'appuient sur l'air pour avoir la portance nécessaire.

▷ Les oiseaux ont des muscles puissants qui font battre leurs ailes. Cette mouette a des ailes très longues qui lui permettent de planer sans faire d'effort.

△ Ces ballons sont remplis d'air chaud, qui est plus léger que l'air froid, si bien que le ballon est moins lourd que l'air qui l'entoure. Il peut ainsi flotter dans le ciel.

△ Certains avions ont une hélice. Comme un ventilateur, elle tourne très vite. En poussant l'air vers l'arrière, elle fait avancer l'avion.

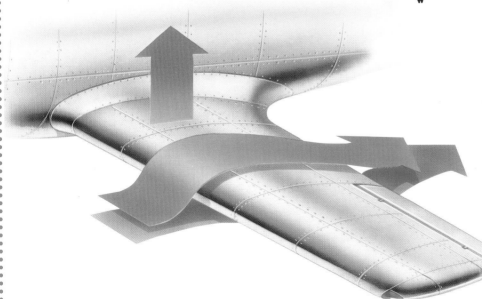

◁ Les ailes d'un avion n'assurent la portance que lorsque l'avion a atteint une vitesse suffisante. L'air passe alors au-dessus et en dessous de l'aile, dont la forme courbe favorise la portance.

◁ Les graines de pissenlit sont si légères que la moindre brise les emporte. Elles voyagent ainsi à la recherche d'un nouvel endroit pour pousser.

△ L'hélicoptère est muni d'un rotor qui lui permet de se maintenir en l'air même lorsqu'il n'avance pas. Celui que tu vois ici vient au secours d'une personne en pleine mer.

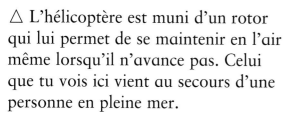

◁ Souffle fort sur une fleur de pissenlit. Combien de temps les graines mettent-elles pour atteindre le sol ?

Infos

• Un moucheron bat des ailes mille fois en une seconde.

• L'avion le plus rapide du monde est le Lockheed SR-71A. Il peut voler à 3 500 kilomètres à l'heure.

◁ Place un morceau de mouchoir en papier sur ta lèvre inférieure et souffle doucement le long de sa face supérieure. Le papier se soulève. Une aile fonctionne de la même façon. Sa forme fait que l'air glisse plus vite par-dessus que par-dessous.

En savoir plus

Air et atmosphère

Espace

Flotter

Force

Gravité

Moteurs

Pression

Z

▷ Zodiaque

Les douze signes du zodiaque correspondent à des constellations (groupes d'étoiles). Les astrologues sont des gens qui croient que ton signe du zodiaque, ainsi que le mouvement de la Lune et des autres planètes, affecte les événements de ta vie.

Bélier

Taureau

Gémeaux

Cancer

Lion

Vierge

Balance

Scorpion

Sagittaire

Capricorne

Verseau

Poissons

▷ Zéro

Le zéro signifie le néant. Il est très important en mathématiques. Imagine des additions qui n'en comporteraient pas. Le zéro a été inventé en Inde il y a environ 1 000 ans. Les Arabes l'ont utilisé bien avant les Européens.

▽ Zip

Le zip, ou fermeture éclair, s'emploie dans les vêtements et autres objets. Il est formé de deux glissières dentelées, en plastique ou métalliques. Quand on ferme, les petites dents s'emboîtent les unes dans les autres.

△ Zoologie

La zoologie est une partie de la biologie qui étudie les animaux, leur mode de vie et leur comportement.

En savoir plus

Êtres vivants

Inventions et découvertes

Nombres

Univers

Glossaire

acier : métal résultant d'un mélange de fer avec un peu de carbone.

ampoule : petit globe de verre qui s'allume grâce au courant électrique.

astronome : personne qui étudie le système solaire et l'Univers.

atmosphère : couche d'air qui entoure la Terre.

atome : minuscule particule de matière. Tout ce qui nous entoure est composé d'atomes.

batterie : réserve d'électricité. Quand une batterie est connectée à un circuit, l'électricité parcourt ce circuit jusqu'à épuisement de la réserve.

cellule : le plus petit élément vivant du corps d'un animal ou d'une plante.

centre de gravité : point d'équilibre d'un objet. Dans un disque, il est au centre. Celui du corps humain est près du nombril.

charbon : substance noire et brillante, que l'on trouve dans le sous-sol et qu'on utilise comme carburant.

couleurs primaires : couleurs qui composent toutes les autres couleurs.

courant électrique : flot de petites particules (électrons) en mouvement le long d'un câble ou d'un fil.

cratère : large trou à la surface d'une planète, formé lors de l'éruption d'un volcan ou d'une chute de météorite.

croûte terrestre : couche de roche qui recouvre la Terre.

curseur : repère sur l'écran d'un ordinateur. Quand on tape sur le clavier, le curseur clignote à l'endroit où les lettres apparaissent.

densité : rapport entre le poids et le volume d'une matière. L'eau a une densité supérieure à l'air : à volume égal, elle est plus lourde.

diesel : carburant liquide obtenu à partir du pétrole naturel que l'on pompe dans le sous-sol.

digital (ou numérique) : qui est composé de nombres.

dioxyde de carbone : gaz présent dans l'atmosphère. Les plantes l'utilisent pour produire leur nourriture.

écho : répercussion du son sur les surfaces dures. Sous l'effet de l'écho, on entend la voix ou le bruit se répéter.

élasticité : aptitude de la matière à revenir à sa forme d'origine après avoir été étirée ou écrasée.

électro-aimant : aimant qui fonctionne quand un courant électrique passe dans une bobine ou le long d'un câble.

électronique : circuit électrique qui contrôle des machines comme les ordinateurs, certaines montres ou les lave-linge. En général ces circuits sont très petits.

émetteur : antenne qui diffuse des ondes radio.

érosion : usure progressive du sol ou des roches par le vent, l'eau ou la glace.

fondu : se dit d'un solide qui est devenu liquide après avoir été chauffé. Certains solides, comme les roches ou les métaux par exemple, ne fondent qu'à de très hautes températures.

force : action exercée sur un objet que l'on tire ou que l'on pousse.

germes : petits microbes qui peuvent rendre malade s'ils pénètrent dans le corps.

germination : formation d'une nouvelle plante qui commence à pousser à partir d'une graine.

glossaire : liste de mots utiles. Certains mots de ce livre sont un peu difficiles. Ce glossaire rappelle leur signification.

haut-parleur : appareil qui transforme un courant électrique en son.

hémisphère : une moitié du globe terrestre. La Terre est divisée en deux par l'équateur, en hémisphère Nord et hémisphère Sud.

houille : charbon naturel d'origine souterraine, différent du charbon de bois.

invertébré : animal qui ne possède pas de squelette.

marée : mouvement quotidien de la mer, dont le niveau monte et descend.

microscope : appareil muni de lentilles qui permet de voir agrandis des objets tout petits.

molécule : groupement d'atomes. Certaines molécules ne contiennent que quelques atomes. D'autres en contiennent des milliers.

nectar : liquide sirupeux produit par les fleurs de certaines plantes. Les abeilles s'en servent pour faire le miel.

nocturne : qualifie un animal qui dort pendant la journée et qui chasse pour se nourrir pendant la nuit.

noyau : partie centrale d'un atome. Quand il est fractionné, une explosion se produit et beaucoup d'énergie s'en dégage.

orbite : chemin suivi par un satellite qui tourne autour d'une planète ou d'une étoile.

oxygène : gaz qui se trouve dans l'atmosphère terrestre. Les animaux en ont besoin pour respirer et rester en vie. Il en faut aussi pour que les choses brûlent.

pellicule : film plastique couvert de produits chimiques qui réagissent au contact de la lumière ou des rayons X, fixant ainsi les images.

poids : mesure de la force de gravité exercée sur un objet. Tout ce qui se trouve sur la Terre a un poids.

pollution : déchets qui se trouvent dans l'environnement : gaz nocifs, produits chimiques rejetés par les usines, ordures…

polyéthylène : type de plastique. Les sacs qu'on te donne au supermarché sont généralement en polyéthylène.

rayons cosmiques : particules ou ondes provenant des étoiles ou d'autres objets de l'espace.

robot : machine programmée pour réaliser différents travaux.

rouage : roue dentée. Les dents des roues s'emboîtent et font tourner un mécanisme.

séisme : tremblement de terre provoqué par le mouvement des roches souterraines.

squelette : ossature qui soutient le corps de certains animaux et des humains.

télescope : appareil muni de lentilles et de miroirs qui permet de mieux voir les objets lointains.

tige : partie d'une plante qui s'élève du sol et porte les feuilles et les fleurs.

vapeur d'eau : gaz qui se dégage quand l'eau bout. C'est de l'eau à l'état gazeux.

vertébré : animal qui a un squelette.

volume : quantité d'espace occupée par un objet.

Index

Cet index te permet de trouver des mots dans ton livre. Les titres des chapitres sont écrits en **gras.**

Remerciements

Photographies

Page **6** Bruce Coleman *bg*; **9** Peugeot *bc*; **10** Science Photo Library *cg*, Oxford Scientific Films *cd*; **11** Science Photo Library *bg*; **12** Image Bank *cg*, Robert Harding Associates *cd*; **14** Bridgeman Art Library *hd*; **16** Tony Stone Associates *bd*; **21** Bruce Coleman *hg*, Science Photo Library *cd*; **24** Robert Harding Associates *h*, Thomas Neile/Hornby *c*, *bg*; **25** Robert Harding Associates *cg*; **27** Robert Harding Associates *hd*; **29** Tony Stone Associates *c*; **30** Zefa *b*; **42** Comstock *bg*; **44** Renault UK Ltd *bg*; **47** NASA *bg*; **48** E T Archive *bg*; **50** Science Photo Library *hd*; **51** Bruce Coleman *hd*, Zefa *bg*; **54** Bruce Coleman *hg*; **55** Science Photo Library *bd*; **56** Robert Harding Associates *cg*; **57** Images Colour Library *hg*; **59** Zefa *cd*; **63** Mary Evans Picture Library *cg*, Science Photo Library *bd*; **64** Bruce Coleman *hd*; **65** Rex Features *hg*; **68** Bob Thomas Sports Photography *hd*; **69** Zefa *h*; **72** Science Photo Library *bd*; **72/73** IBM Eurocoor *h*; **73** Science Photo Library *hd*; **78** Rex Features *cg*, Science Photo Library *bg*; **79** Science Photo Library *hd*, Zefa *c*, Stephen Hughes/St.Thomas's Hospital *bg*, Science Photo Library *bd*; **82** Tony Stone Associates *hd*, *c*; **84, 85** NASA; **85** Oxford Scientific Films *hg*, Tony Stone Associates *cb*; **87** Tony Stone Associates *cb*; **88** Tony Stone Associates *bg*; **89** Tony Stone Associates *bd*; **92** Science Photo Library *hd*; **93** Bruce Coleman *hd*; **94** Bridgeman Art Library *hd*; **95** Tony Stone Associates *cg*; **96** Tony Stone Associates *hd*, Science Photo Library *cg*, Allsport *cd*, *bg*, Panasonic *bg*; **97** Image Bank *h*, Science Photo Library *b*; **98** Image Bank *cd*; **99** Science Photo Library; **100** Science Photo Library *c*; **101** Science Photo Library *cd*; **102** Bruce Coleman *b*; **103** Sony *bg*, Zefa/Ronald Grant Archive *c*; **104** Tony Stone Associates *hd*, Telegraph Colour Library *cd*; **106** RAC *hg*; **107** Mary Evans Picture Library *c*, Image Bank *cd*.
Toutes les autres photographies sont de Tim Ridley

Illustrations

Robin Bouttell, Peter Bull, Robin Carter, Kuo Kang Chen, Rachel Conner, Sandra Doyle, Richard Draper, Chris Forsey, Terence Gabbey, Nick Hall, Ch'en Ling, Jonathan Potter, Eric Robson, Mike Roffe, Mike Saunders, Guy Smith (Mainline Design), Ian Thompson, Richard Ward, Wildlife Art Agency, Ann Winterbottom, Dan Wright

Mannequins

David Adamson, Sam Adamson, Jermaine Arnold, Gurtaj Bahd, Janatpreet Bahd, Katherine Bass, Andrew Brown, George Browne, Lois Browne, Harriet Coombes, Christopher Davis, Bobby Fisher, Hugo Flaux, Ella Fraser-Thoms, Thomas Gage, Holly Gannon, James Henderson, Charlie King, Joby Lennon, Tom Lennon, Rudy Logue, Lucy Makinson, Emma Makinson, Sophie McEvoy, William McEvoy, Neil Sachdev, Aminder Sra, Jade Taaffe, Stephen Tan, Peter Thoroughgood, Simon Tombstock, Martin Tombstock, Chantal Turnbull, Daniel Turnbull, Andrew Wall, Jack Williams, Emily Wood, Emma Wright, Rosie Wright

Remerciements à Footes, Golden Square, London pour le tambour.